tibits at home

Konzept: Annette Gröbly, Anna Staiger Eichenberger
Rezepte: tibits AG, bearbeitet und gekocht von Stefan Staiger
Begleittexte: Bettina Weber, Zürich
Fotografie: Sylvan Müller, fabrik studios, Luzern, www.fabrik-studios.ch
Styling: Karin Böhnke, fabrik studios, Luzern
Foodstyling: Oliver Roth, Zürich, www.food-styling.ch
Tapeten: Designers Guild London by Wohn-In, Küsnacht
Blumen: Martin Grossenbacher, Zürich

Grafische Gestaltung: Stefan Haas, Luzern, www.haasgrafik.ch
Bildbearbeitung: Brigitte Hürzeler, fabrik studios, Luzern
Druck und Bindearbeiten: Offizin Andersen Nexö, Leipzig
Printed in Germany

ISBN 978-3-03800-566-7

www.at-verlag.ch
www.tibits.ch
www.tibits.co.uk

Vegetarische
Lieblingsrezepte
für zuhause

tibits at home

tibits

Dieses Buch widmen wir unseren Eltern, Familien und allen
»tibits«-Mitarbeitenden, die uns auf unserer kulinarischen Reise
in den vergangenen zehn Jahren begleitet und unterstützt haben.

Ein großes Dankeschön unseren treuen Gästen, für all die herzlichen
Komplimente und die wertvollen Anregungen, die uns stets weiterbringen.

Vielen Dank auch an die vier Gastgeber, bei denen wir die Fotos
zu diesem Buch realisieren durften, und an alle, die mit viel Herzblut
an diesem Projekt mitgearbeitet haben.

Sämtliche Rezepte sind,
sofern nicht anders angegeben,
für 4 Personen berechnet.

willkommen

Viele unserer treuen Gäste erkundigten sich immer wieder nach den Rezepturen ihrer Lieblingsgerichte. Lange haben wir diese gehütet wie unseren Augapfel. Zum Jubiläum unseres zehnjährigen Bestehens lassen wir Sie nun erstmals in unsere Kochtöpfe blicken und verraten Ihnen einige unserer beliebtesten Rezepte. Damit können Sie zu Hause nach Lust und Laune einen schnellen kleinen Imbiss oder ein ganzes Menü für einen Abend mit Gästen zubereiten – deshalb heißt dieses Buch auch »tibits at home«. Damit das Kochen so viel Spass macht wie das Essen, sind alle Rezepte leicht verständlich formuliert und einfach umzusetzen. Für dieses Buch haben uns vier langjährige »tibits«-Gäste ihre Türen geöffnet – ganz verschiedene Persönlichkeiten, aber alles begnadete Gastgeberinnen und Gastgeber, die Freude am Essen und am Genießen haben. Lassen Sie sich von ihnen inspirieren!

Wir wünschen Ihnen viel Freude und gutes Gelingen.
Herzlichst
Gebrüder Frei und Familie Hiltl

früh

ing

frühlingserwachen

Endlich! In dem Moment, in dem man denkt, man ertrage nun endgültig keinen einzigen kalten Tag, keine graue Nebeldecke und schon gar keine Schneeflocken mehr, genau in dem Moment zeigt sie sich wieder. Ein wenig bleich noch, zaghaft auch, aber immerhin: Man blinzelt wieder in die wärmende Sonne. Lässt sich von ihr in der Nase kitzeln. Lacht ihr entgegen, denn sie weckt die Lebensgeister. Macht Lust, die Balkontüre weit zu öffnen, tief durchzuatmen, nach draußen zu gehen, der Natur beim Aufwachen zuzuschauen. Zu beobachten, wie sie aus dem Winterschlaf erwacht, wie es knospt und wächst und gedeiht, wie die Welt grüner und bunter und fröhlicher wird. Das Licht wird weicher und wärmer und erhellt das Gemüt; der Frühling macht gute Laune, steckt uns mit seinem Temperament und seinen Farben an. Balkone, Terrassen und Gärten werden aufgerüstet, es wird gepflanzt, eingetopft, angesät. Denn die Geschmackssinne melden großen Appetit auf knackiges Gemüse, auf frische Früchte, auf alles, was die Natur hergibt. Und wenn es auch nur zwei kleine Töpfe Petersilie sind, die man auf dem Küchenfenstersims stehen hat: Es macht glücklich, die Zutaten vor Ort zu haben, da schwingt auch ein Hauch von Selbstversorgung mit. Die Frühlingsküche soll vor allem frisch sein, dazu saisongerecht und gesund. Oder auch: leicht und beschwingt. So, wie einem zumute ist, wenn die Tage endlich wieder länger werden, soll auch gekocht werden.

Eine süß-scharfe Kombination, die nicht nur sehr gesund ist, sondern auch fein schmeckt und attraktiv aussieht.

ingwer-karotten-apfel-saft

1 Ingwer und Zitronen schälen. Die Karotten waschen und schälen. Äpfel und Fenchel halbieren oder vierteln, so dass sie in die Saftpresse passen.
2 Alles durch die Saftpresse lassen, gut umrühren und 5 Minuten stehen lassen, dann gut abschäumen.
3 Kalt stellen. Vor dem Servieren nochmals gut durchrühren.

Tipp: Kann auf Wunsch mit Ahornsirup gesüßt werden.

Für 1 Liter
Zubereitungszeit
15 Minuten

100 g	Ingwer
8	Zitronen
1,2 kg	Karotten
2	Äpfel (Jonagold; 200 g)
2	Fenchelknollen (200 g)

Schmeckt nach Frühling.
Kann warm oder kalt serviert werden.

erbsensuppe mit minze

1 Die Schalotten schälen und fein schneiden. Die Pfefferminze waschen, die Blätter abzupfen und in Streifen schneiden.
2 Falls frische Erbsen verwendet werden, die ausgelösten Erbsen in stark kochendem Salzwasser kurz überwallen lassen, abgießen und unter fließendem kaltem Wasser abschrecken. (Dieser Schritt entfällt bei der Verwendung von Tiefkühlerbsen.)
3 Die Kartoffeln waschen, schälen und in 1½ cm große Würfel schneiden.
4 Das Olivenöl erhitzen, die Schalotten kurz darin andünsten, die Pfefferminze dazugeben und mit andünsten. Erbsen und Kartoffeln beigeben und mitdünsten, bis sie Wasser ziehen. Mit der Gemüsebouillon auffüllen und etwa 10 Minuten köcheln lassen.
5 Die Suppe mit dem Pürierstab oder im Mixer fein pürieren und durch ein Haarsieb streichen.
6 Den Rahm beifügen und nochmals kurz aufkochen, mit Meersalz und weißem Pfeffer abschmecken.

Tipp: Als Einlage eignen sich geschälte, in kleine Würfel geschnittene Tomaten. Nach Belieben die angerichtete Suppe mit einem Blatt Pfefferminze dekorieren.

Zubereitungszeit
30 Minuten

2	Schalotten
2 Zweige	Pfefferminze
1 kg	frische Erbsen in der Schote oder
400 g	Erbsen, tiefgekühlt
200 g	Kartoffeln
3 EL	Olivenöl extra vergine
700 ml	Gemüsebouillon
50 ml	Vollrahm
	Meersalz und weißer Pfeffer aus der Mühle

oliven-tomaten-sandwich

1 Für die Olivenmasse den Tofu mit der Reis-Mayonnaise und den Oliven im Mixer oder Cutter fein pürieren (ca. 1 Minute).
2 Die Karotte waschen, schälen, längs in ½ cm dicke Scheiben und dann diese quer in ½ cm kleine Würfelchen schneiden.
3 Den Basilikum waschen und in feine Streifen schneiden.
4 Die Olivenmasse mit Tomatenpesto, Basilikum und Karottenwürfeln gut vermischen.
5 Die Brote längs halbieren und die untere Hälfte jeweils mit der Olivenmasse bestreichen.
6 Die Tomaten in Scheiben schneiden. Diese auf die Olivenmasse legen und mit dem gewaschenen Rucola belegen. Mit der oberen Brothälfte zudecken und die Brote jeweils diagonal halbieren.

Zubereitungszeit
15 Minuten

Olivenmasse (ergibt 800 g)

- 200 g Tofu nature
- 100 g Reis-Mayonnaise (vom Reformhaus)
- 170 g schwarze Oliven, entsteint
- 1 Karotte (120 g)
- 1 Bund Basilikum
- 150 g Tomatenpesto (siehe Seite 136)

Sandwich

- 4 Brottaschen (Ciabatta und Vollkorn)
- 200 g Olivenmasse
- 2 Tomaten
- 40 g Rucola

bulgursalat mit cocobohnen

1 Den Bulgur mit Wasser und Meersalz in einen Topf geben, unter ständigem Rühren aufkochen und 8 Minuten kochen lassen, bis das Wasser aufgesogen ist. In eine Schüssel umfüllen und 1 Stunde kalt stellen.
2 Die Cherrytomaten waschen und halbieren. Die Cocobohnen waschen und in 4 cm lange Stücke schneiden.
3 Die Cocobohnen in gesalzenem Wasser weich kochen (dies dauert ca. 20 Minuten), dann sofort abschütten und in kaltem Wasser abschrecken.
4 Den frisch geriebenen Ingwer mit allen anderen Zutaten zur Sauce gut verrühren. Mit Salz und Pfeffer würzen.
5 Den Bulgur auflockern, Cocobohnen und Cherrytomaten beifügen. Die Sauce dazugeben und alles gut vermischen.

Tipp: Bulgur ist vorgekochter (Hart-)Weizen, der nach dem Kochen getrocknet und von der Kleie befreit wird; anschließend werden die Körner geschnitten. Bulgur schmeckt nussig und ist sehr sättigend bei zugleich sehr geringem Kaloriengehalt. Im Handel ist Bulgur grob, mittel oder fein erhältlich.

Zubereitungszeit
30 Minuten

120 g	Bulgur
240 ml	Wasser
1 TL	Meersalz für den Bulgur
150 g	Cherrytomaten
150 g	grüne Cocobohnen
1 TL	Meersalz für die Bohnen

Sauce

15 g	Ingwer, frisch gerieben
7 EL	Olivenöl extra vergine
7 EL	weißer Balsamicoessig
1 EL	Tomatenpüree
½ TL	scharfes Currypulver
½ TL	mildes Paprikapulver
½ TL	gemahlener Koriander
	Salz und Pfeffer aus der Mühle

Herrlich erfrischend, sieht zudem toll aus.

pfeffertofu-gurken

1 Die Salatgurken waschen, schälen und die Enden abschneiden. Anschließend die Gurken in ½ cm dicke Scheiben schneiden.
2 Den Tofu ebenfalls in ½ cm dicke Scheiben schneiden. Auf beiden Seiten Blumenpfeffer darübermahlen.
3 Gurken und Tofuscheiben abwechslungsweise in eine flache Form einschichten oder auf Tellern anrichten.
4 Die Zutaten für das Dressing gut vermischen und den Salat damit beträufeln.
5 Vor dem Servieren mit fein gezupftem Dill garnieren.

Tipp: Kann auch als Apéro-Häppchen auf gerösteten Baguette-Scheiben angerichtet werden.

Zubereitungszeit
20 Minuten

2	Salatgurken (500 g)
500 g	Tofu nature oder Tofu provençale am Stück
	Blumenpfeffer, frisch gemahlen

Dressing

7 EL	Rapsöl
3 EL	weißer Balsamicoessig
1 TL	Meersalz
1 Bund	Dill

Ein wiederentdecktes uraltes Nahrungsmittel
aus Südamerika – immer beliebter.

quinoa mit curry und cranberries

1 Die Quinoakörner unter fließendem Wasser abspülen.
2 Salzwasser aufkochen, das Quinoa beigeben und etwa 20 Minuten kochen lassen, bis das Quinoa ausquillt. In ein Sieb abgießen und gut abtropfen lassen.
3 Alle anderen Zutaten bis auf die Cranberries in einer Schüssel gut verrühren und mit dem Quinoa mischen.
4 Zuletzt die Cranberries dazugeben, gut vermischen und kalt stellen.

Tipp: Quinoa bereits am Vorabend kochen und im Kühlschrank abkühlen und abtropfen lassen. Quinoa ist sehr eiweißhaltig und enthält kein Gluten.

Zubereitungszeit
30 Minuten

100 g	weißes Quinoa
4 EL	weißer Balsamicoessig
3 EL	Rapsöl
25 g	Ingwer, frisch gerieben
1 TL	feines Meersalz
1 TL	Kurkuma
1 EL	Currypulver, mild oder scharf
½ TL	gemahlener Koriander
1 EL	feiner Rohrzucker
50 ml	Kokosmilch
50 g	getrocknete Cranberries (Moosbeeren)

kokos-erdnuss-bällchen

1 Den Tofu mit den Händen zu einem Teig zerdrücken.
2 Die Erdnüsse mit einem Messer hacken oder mit dem Stabmixer nicht zu fein mahlen. Die Erdnüsse mit Kurkuma und Curry gleichmäßig unter den Teig mischen, bis der Teig die Farbe des Kurkumas angenommen hat. Zuletzt die Kokosraspel darunterarbeiten und die Masse mit Meersalz und Pfeffer würzen.
3 Mit einem Eisportionierlöffel Kugeln vom Teig abstechen und diese im 170 Grad heißen Öl rundherum anbraten. Alternativ kann man die Kugeln mit etwas Öl bestreichen und im Backofen bei mittlerer Hitze (160 Grad) 20 Minuten backen.

Tipp: Anstatt des scharfen Currys kann auch frisch geriebener Ingwer verwendet werden.

Ergibt 20–25 Stück
Zubereitungszeit
30 Minuten

500 g weicher Tofu, natur
200 g Erdnüsse, geröstet, ungesalzen
1 EL Kurkuma
1 EL scharfer Curry
100 g Kokosraspel
feines Meersalz und Pfeffer aus der Mühle
Erdnussöl zum Frittieren

...aber dann hat Jürg Schmid gleich an seinem ersten Tag die Kündigung eingereicht und ist jetzt wieder zurück zu...
...hat es das Palace aber doch noch auf den 3. Platz geschafft, womit es immerhin noch aufs Podest gefahren ist.
...doch dann ist leider unser Michael von ... aus dem European ... contest ausgeschi... was sich...
...und dann stand da in der Schlange dieser Typ vor mir und der hat so gruusig geschaut, dass es mir...
...für alle Fälle haben die daher bereits einmal die Koffer mit Gold gepackt und sind damit in den Gotthard spaziert...

Alles ist bereit –
die Gäste können kommen.

inspiration

烏龍茶

Einer unserer Lieblingssalate
und ein idealer Eiweißspender dazu.

sojabohnen mit zitronendressing

1 Das Wasser mit dem Meersalz aufkochen, die Sojabohnen dazugeben und etwa 10–12 Minuten weich kochen. Abgießen und unter fließendem kaltem Wasser gut abkühlen und abtropfen lassen.
2 Die getrockneten Tomaten grob zerkleinern. Die Peperoni waschen, entkernen und in 2 cm große Würfel schneiden. Den Rucola waschen und gut abtropfen lassen. Alles zusammen mit den Sojabohnen in eine Schüssel geben.
3 Für das Dressing die Zitronen waschen, die Schale abreiben und den Saft auspressen.
4 Zitronensaft und Zitronenschale mit den anderen Zutaten zum Dressing gut verrühren und über den Salat gießen. Gut vermischen und kalt stellen.
5 Die Pinienkerne trocken rösten. Den Salat anrichten und mit den Pinienkernen bestreuen.

Die zur Familie der Hülsenfrüchte gehörende Sojabohne ist ein wichtiger Eiweiß- und Öllieferant und gilt als bedeutendste Nutzpflanze der Welt. Es gibt cremefarbene, grüne, schwarze und rote Sojabohnen; sie sind vor allem getrocknet oder tiefgekühlt erhältlich (die frischen grünen Sojabohnen auch unter der Bezeichnung Edamame tiefgekühlt im Asienladen).
Da sie reich an gesättigten Fettsäuren und cholesterinarm sind, können Sojabohnen helfen, das Risiko von Herzkrankheiten zu reduzieren.

Zubereitungszeit
25 Minuten

2 l	Wasser
1 TL	Meersalz
600 g	grüne Sojabohnen, tiefgekühlt
100 g	getrocknete, in Öl eingelegte Tomaten
1	rote Peperoni (Paprika)
100 g	Rucola

Dressing

2	unbehandelte Zitronen
4 EL	Rapsöl
2 EL	Zitronenöl
1 TL	Meersalz
1 EL	Pinienkerne, geröstet

Eine fruchtige Alternative zur traditionellen Hollandaise-Sauce.

weißer spargel mit orangensauce

1 Die Spargeln schälen, die Enden abschneiden und die Stangen in 4–5 cm lange Stücke schneiden.
2 Wasser mit Meersalz, Rapsöl, Zitronensaft und Zucker aufkochen, die Spargelstücke darin etwa 15 Minuten weich kochen, so dass sie noch leicht Biss haben. Abschütten und abtropfen lassen.
3 Inzwischen für die Sauce Milch, Rahm, Orangensaft und Peperonciniöl aufkochen. Kurkuma und Meersalz beigeben und 2 Minuten köcheln lassen. Die Maisstärke mit dem kalten Wasser verrühren, zur Sauce geben und 1 Minute weiter kochen lassen, bis sie bindet, mit dem Stabmixer aufmixen.
4 Die Spargelstücke in die Sauce geben und darin etwa 5 Minuten fertig garen.
5 Anrichten und mit dem fein geschnittenen Schnittlauch garnieren.

Zubereitungszeit
40 Minuten

1½ kg	weiße Spargeln
3–4 l	Wasser
	Meersalz
4 EL	Rapsöl
1 EL	Zitronensaft
1 EL	weißer Zucker

Sauce

150 ml	Milch
200 ml	Vollrahm
150 ml	Orangensaft, frisch gepresst (von 2–3 Orangen)
1 TL	Peperonciniöl
½ TL	Kurkumapulver
1 TL	feines Meersalz
2 EL	Maisstärke (Maizena)
2 EL	Wasser, kalt
30 g	Schnittlauch, fein geschnitten

rotes thai-gemüse

1 Die Bohnen waschen und in etwa 4 cm lange Stücke schneiden. In kochendem Salzwasser 20 Minuten weich garen. Abschütten und sofort unter fließendem kaltem Wasser abschrecken.
2 Die Zucchini waschen und in 2 cm große Würfel schneiden. Die Peperoni waschen, entkernen und ebenfalls in 2 cm große Würfel schneiden. Die Pilze frisch anschneiden, putzen und von Erdresten befreien.
3 Das Erdnussöl erhitzen, Peperoni, Pilze und Zucchini darin 3–4 Minuten andünsten. In einem Sieb abtropfen lassen.
4 Inzwischen die Kokosmilch mit Gemüsebouillon und Currypaste verrühren und aufkochen.
5 Das vorgegarte Gemüse beigeben und 5 Minuten fertig garen. Mit Salz und Pfeffer abschmecken. Den Thai-Basilikum fein schneiden und darüberstreuen. Als Beilage Gewürz-Basmatireis (siehe Seite 136) servieren.

Tipp: Wer mag, kann mit frisch geriebenem Ingwer abschmecken.

Zubereitungszeit
30 Minuten

300 g	Cocobohnen
200 g	Zucchini
200 g	rote Peperoni (Paprika)
300 g	kleine Champignons (ersatzweise Austernpilze oder Shiitake)
6 EL	Erdnussöl
400 ml	Kokosmilch
100 ml	Gemüsebouillon
80 g	rote Currypaste
	Meersalz und schwarzer Pfeffer aus der Mühle
1 Bund	Thai-Basilikum

Best wishes for Christmas
and the New Year

kokos-ananas-tiramisu

1 Eine Gratinform (ca. 17 x 22 cm) mit Löffelbiskuits auslegen und diese mit der Kokosnussmilch übergießen.
2 Die Ananas in 1½ cm große Würfel schneiden und mit dem Zucker vermischen. Über den Löffelbiskuits verteilen und glatt streichen.
3 Mascarpone, Rahm, Zucker und das ausgekratzte Mark der Vanillestange in einer kalten Chromstahlschüssel zu einer festen Masse aufschlagen. Die Creme über die Ananaswürfel verteilen und glatt streichen.
4 Mindestens 1 Stunde in den Kühlschrank stellen. Vor dem Servieren mit Kakaopulver bestreuen.

Tipp: Bereits am Vorabend zubereiten, damit der Löffelbiskuit gut durchtränkt ist.

Zubereitungszeit
20 Minuten

100 g	Löffelbiskuits
100 ml	Kokosnussmilch
160 g	Ananasfruchtfleisch
3 EL	feiner Rohrohrzucker
250 g	Mascarpone
50 ml	Vollrahm
5 EL	feiner Rohrohrzucker
1	Bourbon-Vanillestange
1 EL	Kakaopulver, gesüßt

Dafür erhalten wir von unseren Gästen viele Komplimente.

london cheese cake

1 Die Vollkornbiskuits mit den Baumnüssen im Blitzhacker (Cutter) fein mahlen. Zucker und Öl beigeben und gut mischen, dann gleichmäßig auf dem Boden einer Gratinform (ca. 15 x 20 cm) ausstreichen.
2 Alle weiteren Zutaten in einer kalten Chromstahlschüssel mit dem Handmixer gut vermischen, bis eine kompakte Masse entstanden ist. Diese auf dem Bröselboden verteilen.
3 Im vorgeheizten Ofen bei 180 Grad 25–30 Minuten goldbraun backen.

Tipp: Mit etwas geschlagenem Rahm und frischen Beeren nach Saison servieren.
Blanc battu ist ein sehr dickflüssiger, cremiger Frischkäse, der aus Magermilch hergestellt wird und daher sehr wenig Fett enthält.

Zubereitungszeit
15 Minuten
Backzeit
30 Minuten

100 g Vollkornbiskuits
30 g Baumnüsse (Walnüsse)
1 EL feiner Rohrohrzucker
5 EL Rapsöl

50 g Bifidus-Joghurt natur
80 g Crème fraîche
250 g Blanc battu
100 g feiner Rohrohrzucker
1 Bourbon-Vanillestange, Mark ausgekratzt
2 Eier
1 EL Maisstärke (Maizena)
70 ml Vollmilch

som

mer

sommerzeit

Und plötzlich ist überall Italien. Alles fällt ein wenig leichter, wenn der Himmel blau ist und die Temperaturen steigen – ein mediterranes Lebensgefühl stellt sich ein. Die Abende sind lau und laden zum Verweilen ein, man kann bis Mitternacht draußen sitzen und in die Sterne gucken. Überhaupt findet nun das Leben draußen statt. Ausflüge werden unternommen, Pedalos gemietet und Fahrradtouren gemacht, landesweit wird grilliert. Dabei könnte man durchaus etwas experimentierfreudiger oder mutiger sein und seinen Gästen anstelle der immer gleichen Bratwürste und Cervelats für einmal eine richtige Abwechslung bieten. Mit delikaten kalten Suppen zum Beispiel. Raffiniert verfeinert mit all jenen Gewürzen, die man im Frühling angepflanzt hat und die nun prächtig gedeihen. Dazu gibt es einen kühlend-erfrischenden selbst gemachten Tee mit Zitronenmelisse, die ebenfalls aus der balkoneigenen Produktion stammt. Oder wie wär's mit einem Picknick? Ausgerüstet mit einem stilechten Korb, mit passender Decke und Servietten und den daheim vorbereiteten Köstlichkeiten, lässt man es sich inmitten einer Blumenwiese gut gehen. Hört den summenden Bienen zu, dem Plätschern des Wassers und lässt die Seele baumeln. Der Gaumen meldet von allein Lust auf Gesundes, auf frische Früchte, Melonen, Erdbeeren, Pfirsiche, denn Sonne und Luft machen zwar hungrig, aber das Essen soll im Sommer leicht sein und auf keinen Fall schwer im Bauch liegen – denn danach will man ja nochmals einen Sprung in den See oder Fluss wagen.

Mit frischer Grapefruit. Löscht den Durst großer und kleiner Drachen.

dragon-eistee

1 400 ml Wasser aufkochen. Die Teemischung in einen Teebeutel oder in ein großes Tee-Ei geben, mit dem Wasser aufgießen und 15 Minuten ziehen lassen. Dann Teebeutel oder Tee-Ei entfernen.
2 Die Grapefruits auspressen (es sollte 300 ml rosa und 400 ml weißen Grapefruitsaft ergeben).
3 Den Tee mit Grapefruitsaft und Holunderblütensirup mischen, mit dem kalten Wasser auffüllen und kühl stellen.

Für 10 Personen
2½ Liter Eistee
Zubereitungszeit
15 Minuten

Teemischung Dragon
(von einem guten Teehaus mischen lassen)
25 g Choice Oolong (Grüntee)
6 g Minze
2 g Karkade

400 ml Wasser
2–3 rosa Grapefruits
3–4 weiße Grapefruits
200 ml Holunderblütensirup
1,2 l Wasser, kalt

feta-gurken-sandwich

1 Die Brote längs halbieren und die beiden Schnittflächen jeweils mit Tomatenpesto bestreichen.
2 Fetakäse, Tomaten und Gurke in etwa ½ cm dünne Scheiben schneiden. Die Gurkenscheiben mit dem Balsamico beträufeln.
3 Die untere Hälfte der Brote mit Feta-, Tomaten- und Gurkenscheiben belegen und zuletzt etwas gewaschenen Rucola darauf verteilen. Mit der oberen Brothälfte zudecken und die Brote nach Wunsch schräg halbieren.

Tipp: Je nach Lust kann das Sandwich zusätzlich noch mit halbierten schwarzen Oliven belegt werden.

Zubereitungszeit
15 Minuten

2	Baguettes
120 g	Tomatenpesto (siehe Seite 136)
240 g	Fetakäse
120 g	Tomaten
120 g	Salatgurke
2 EL	weißer Balsamicoessig
40 g	Rucola

tomatensuppe mit zitronengras und kokosmilch

1 Zwiebel und Knoblauch schälen und fein schneiden, Das Zitronengras flach klopfen und ebenfalls fein schneiden.
2 Den Lauch waschen, längs halbieren und in feine Streifen schneiden. Die Tomaten waschen, den Stielansatz entfernen und die Tomaten in 3 cm große Würfel schneiden.
3 Das Olivenöl erhitzen, Knoblauch, Zwiebel und Zitronengras darin andünsten, bis die Zwiebel glasig ist. Tomatenwürfel, Gemüsebouillon, Ingwer, Zitronenpfeffer, Peperonciniöl und Meersalz beigeben und alles bei niedriger Hitze 20 Minuten kochen lassen. Anschließend die Suppe mit dem Pürierstab oder im Mixer fein pürieren und durch ein Sieb streichen.
4 Zuletzt die Kokosmilch und die Lauchstreifen beigeben und die Suppe nochmals 5 Minuten leicht köcheln lassen. Mit Meersalz und Pfeffer abschmecken.

Zubereitungszeit
40 Minuten

1	kleine Zwiebel
2	Knoblauchzehen
1 Stängel	Zitronengras
200 g	grüner Lauch
600 g	sehr reife Tomaten
3 EL	Olivenöl extra vergine
350 ml	Gemüsebouillon
½ TL	Ingwerpulver
½ TL	Zitronenpfeffer
1 TL	Peperonciniöl
1 TL	Meersalz
150 ml	Kokosmilch
	Meersalz und weißer Pfeffer aus der Mühle

Drei Klassiker der italienischen Küche, mit frischen Kräutern verfeinert.

gemüse-antipasto

1 Peperoni und Zucchini waschen und in 2 cm große Würfel schneiden. Den Stielansatz der Okras etwas zurückschneiden und die Früchte einmal quer halbieren. Den Knoblauch fein hacken.
2 Das Olivenöl erhitzen, Knoblauch und Okras darin anbraten, das übrige Gemüse dazugeben und nochmals 6–8 Minuten braten. Von der Herdplatte nehmen und etwas abkühlen lassen.
3 Alle Zutaten zur Sauce verrühren, zum leicht abgekühlten Gemüse geben, mischen und 1 Stunde ziehen lassen.
4 Vor dem Servieren den Basilikum in Streifen schneiden und über das Gemüse streuen.

Tipp: Wer mag, kann die Okras auch bei 170 Grad 3 Minuten frittieren.

Je 2 rote und 2 gelbe Peperoni (Paprika; insgesamt 400 g)
5 Zucchini (500 g)
100 g Okraschoten
1 Knoblauchzehe
5 EL Olivenöl extra vergine

Sauce
80 g Tomatenpesto (siehe Seite 136)
4 EL Wasser
1 TL Meersalz
1 TL Peperonciniöl
1 EL Balsamicoessig
etwas Basilikum

champignon-antipasto

1 Die Champignons putzen (siehe Tipp), die Peperoni waschen, entkernen und klein würfeln.
2 Die getrockneten Tomaten und den Rucola in feine Streifen schneiden.
3 Zwiebel und Knoblauch hacken.
4 Eine Bratpfanne erhitzen, das Olivenöl hineingeben. Zwiebel und Knoblauch darin glasig dünsten, dann Champignons und Peperoni dazugeben und 3–4 Minuten dünsten. Von der Herdplatte nehmen, Peperonciniöl und Chiliflocken dazugeben und abkühlen lassen.
5 Mit Balsamicoessig, Meersalz und dem Rucola vermischen.

Tipp: Von den Champignons am Stielende eine dünne Scheibe abschneiden, die Pilze mit Küchenpapier oder einer speziellen Pilzbürste von Erdresten befreien.

400 g kleine weiße Champignons
je 1 rote und 1 gelbe Peperoni (Paprika)
60 g getrocknete, in Öl eingelegte Tomaten
50 g Rucola
1 kleine Zwiebel
1 Knoblauchzehe
100 ml Olivenöl extra vergine
1 TL Peperonciniöl
1–2 TL getrocknete Chiliflocken
5 EL weißer Balsamicoessig
1 TL feines Meersalz

auberginen-antipasto

1 Die Auberginen waschen und in 2 cm große Würfel schneiden.
2 Das Olivenöl erhitzen und die Auberginen darin 6–8 Minuten anbraten. Aus der Pfanne nehmen und salzen.
3 Die eingelegten getrockneten Tomaten abtropfen lassen und fein hacken. Zu den Auberginen geben.
4 Öl, Essig, Salz und Pfeffer verrühren, zur Auberginenmischung geben, gut vermischen und zugedeckt kalt stellen.
5 Den Rucola waschen und fein schneiden. Kurz vor dem Servieren unter die Auberginen mischen.

Tipp: Anstelle von getrockneten Tomaten Tomatenpesto (siehe Seite 136) verwenden.

600 g Auberginen
120 ml Olivenöl extra vergine
1 TL feines Meersalz
50 g getrocknete, in Öl eingelegte Tomaten
50 g Rucola
Sauce
1 TL Peperonciniöl
1 EL weißer Balsamicoessig
Salz und Pfeffer aus der Mühle

Zubereitungszeit
je 20 Minuten

Für alle, die frische Petersilie und Pfefferminze lieben.

arabischer tabouli-salat

1 Den Bulgur mit Wasser und Meersalz in einen Topf geben und 8 Minuten kochen lassen, bis das Wasser aufgesogen ist. In eine Schüssel füllen und 1 Stunde kalt stellen.

2 Den Blattspinat und die abgezupften Blätter der Kräuter waschen und in sehr feine Streifen schneiden.

3 Die Tomaten waschen, den Stielansatz entfernen und die Früchte in 1 cm große Würfel schneiden.

4 Für die Sauce den Zitronensaft mit den restlichen Zutaten gut verrühren, mit Pfeffer würzen.

5 Den gekochten Bulgur mit einer Gabel auflockern. Tomatenwürfel, Spinat und Kräuter dazugeben und vorsichtig mischen. Die angerührte Sauce darübergeben und nochmals gut mischen.

Tabouli schmeckt frisch, ist sättigend, aber dennoch leicht. Bulgur ist vorgekochter Hartweizengrieß.

Zubereitungszeit
25 Minuten

120 g	Bulgur
¼ l	Wasser
1 TL	feines Meersalz

150 g	zarter, junger Blattspinat
50 g	frische Pfefferminze
40 g	frischer Koriander
30 g	glattblättrige Petersilie
400 g	Tomaten

	Sauce
1½	Zitronen, Saft
100 ml	Olivenöl extra vergine
1 EL	feines Meersalz
1–2 EL	Peperonciniöl
	weißer Pfeffer aus der Mühle

Eine süß-scharfe sommerliche Versuchung.

melonen-tofu-salat

1 Die Melone schälen, die Kerne mit einem Esslöffel entfernen. Das Fruchtfleisch in 2½ cm große Würfel schneiden.
2 Die Karotten waschen, schälen, längs in Scheiben und diese dann quer in Streifen schneiden.
3 Den Tofu in 1½ cm große Würfel schneiden. Mit dem Rapsöl in einer Pfanne kurz anbraten und abkühlen lassen.
4 Den Tofu mit den Karottenstreifen und den Melonenwürfeln mischen.
5 Alle Zutaten zum Dressing in eine Chromstahlschüssel geben und mit dem Handmixer gut verrühren. Das Dressing zur Melonen-Tofu-Mischung geben, alles gut vermischen und zugedeckt kühl stellen.
6 Anrichten und mit den Kokos-Chips garnieren.

Zubereitungszeit
25 Minuten

1 Cavaillon-Melone (ca. 800 g)
2 Karotten (ca. 200 g)
300 g Tofu
8 EL Rapsöl

Dressing
100 ml Sweet Chili Sauce
2 EL rote Currypaste
1 EL Ingwer, frisch gerieben
1 TL feines Meersalz
1 EL Tomatenpüree
½ TL Currypulver
½ TL mildes Paprikapulver
½ TL gemahlener Koriander
½ TL gemahlener Kreuzkümmel
30 g Kokos-Chips, geröstet

MAURESQUES
MAURESQUES
INDIAN FASHION
CONTEMPORARY INDIAN FASHION
Gauchos
AFRICA
Michael Poliza

Für 6 Personen
Zubereitungszeit
15 Minuten

Passionsfruchtsirup

22 Passionsfrüchte
1 Zitrone
160 g Zucker

Pro Person und Glas

5 EL Passionsfruchtsirup
Eiswürfel
Mineralwasser mit Kohlensäure
1 Orangenschnitz

passionsfrucht-limonade

1 Die Passionsfrüchte halbieren, Kerne und Fruchtfleisch herauskratzen und in einen weiten Topf geben.
2 Die Zitrone auspressen, den Saft mit dem Zucker zum Passionsfruchtmark geben, aufkochen und 3 Minuten bei kleiner Hitze köcheln lassen, dann von der Herdplatte ziehen. Kurz stehen lassen, dann durch ein feines Sieb streichen und kühl stellen.
3 Eiswürfel in ein hohes Glas füllen, den Passionsfruchtsirup darübergeben, mit Mineralwasser auffüllen und mit einem Orangenschnitz garnieren.

Tipp: Passionsfrüchte haben die höchste Reife und den besten Geschmack, wenn die Haut dunkelviolett und ledrig-faltig ist.
Diese Rezeptur wurde von »tibits« und »Hiltl« gemeinsam ausgetüftelt.

mini-calzone

1 Für den Pizzateig Mehl und Salz mischen und in der Mitte eine Mulde formen.
2 Die Hefe mit 50 ml lauwarmem Wasser und dem Zucker verrühren und in die Mulde geben, mit wenig Mehl vermischen. Abgedeckt an einem warmen Ort 15 Minuten gehen lassen.
3 Dann das restliche Wasser und das Öl dazugeben und alles gründlich zu einem Teig kneten. Zugedeckt nochmals 30–40 Minuten gehen lassen.
4 Den Backofen auf 180 Grad vorheizen. Ein Backblech mit Backpapier auslegen.
5 Zwiebeln und Knoblauch schälen und fein schneiden. Die Champignons putzen und in dünne Scheiben schneiden. Die Peperoni halbieren, entkernen und in etwa ½ cm große Würfel schneiden. Die Peperoncini halbieren, entkernen und fein hacken.
6 Das Olivenöl in einer Pfanne erhitzen, Zwiebeln und Knoblauch kurz andünsten, dann Champignons, Peperoni und Peperoncini beigeben und 10 Minuten dünsten, bis keine Flüssigkeit mehr vorhanden ist. Vom Herd nehmen und abkühlen lassen.
7 Oregano und Basilikum fein schneiden und zur Gemüse-Pilz-Mischung geben, mit Zucker, Salz und Pfeffer abschmecken.
8 Zuletzt Tomatenpesto und Parmesan beigeben und gut vermischen.
9 Den Teig in 16 Portionen teilen und diese auf einer bemehlten Arbeitsfläche 2–3 mm dick rund ausrollen (ca. 10 cm Durchmesser).
10 Die Füllung jeweils in die Mitte der Teigkreise verteilen, dabei einen Rand von 1 cm frei lassen. Zu Halbmonden zusammenklappen, die Teigränder gut andrücken und mit dem Teigrad schön halbrund schneiden.
11 Die Mini-Calzone auf das Backblech legen, mit wenig Olivenöl bestreichen und leicht mit Paprikapulver bestreuen. Im vorgeheizten Ofen etwa 15 Minuten goldbraun backen.

Tipp: Anstatt Parmesan kann auch klein gewürfelter Mozzarella verwendet werden.

Ergibt etwa 16 Stück

Zubereitungszeit Teig
50 Minuten

Zubereitungszeit Calzone
30 Minuten

Pizzateig

500 g	Weißmehl (Weizenmehl)
1 TL	Salz
20 g	Frischhefe
½ TL	Zucker
250 ml	Wasser, lauwarm
4 EL	Olivenöl

Füllung

2	kleine Zwiebeln
2	Knoblauchzehen
300 g	Champignons
150 g	rote Peperoni (Paprika)
2	grüne Peperoncini
2 EL	Olivenöl extra vergine
½ Bund	Oregano
½ Bund	Basilikum
1 TL	Zucker
	feines Meersalz und schwarzer Pfeffer aus der Mühle
2 EL	Tomatenpesto (siehe Seite 136)
100 g	Parmesan, gerieben
	Olivenöl zum Bestreichen
	Paprikapulver

mediterrane gemüse-quiche

1 Den Backofen auf 180 Grad vorheizen. Den Kuchenteig mit dem Backpapier auf einem Kuchenblech auslegen, mit einer Gabel einstechen.
2 Den Teigboden mit dem Tomatenpesto bestreichen. Mit Paniermehl und Reibkäse bestreuen.
3 Die Gemüse waschen und in 1½ cm große Würfel schneiden. Die Auberginen im heißen Olivenöl 6 Minuten anbraten, dann die Zucchini dazugeben und weitere 5 Minuten mitbraten. In eine Schüssel geben und mit den Tomatenwürfeln vermischen, mit Meersalz würzen und leicht abkühlen lassen.
4 Alle Zutaten für den Guss gut miteinander vermischen.
5 Das Gemüse auf dem Teigboden verteilen und den Guss darübergießen.
6 Im vorgeheizten Backofen 35–40 Minuten backen. 10 Minuten abkühlen lassen, dann servieren.

Tipp: Es kann auch Blätterteig verwendet werden.

Für 4 Personen
als Hauptgericht
Für 8 Personen
als Vorspeise
Zubereitungszeit
30 Minuten

1	Dinkelteig (siehe Seite 137) oder
1	Vollkorn-Kuchenteig, ausgerollt (33 cm Durchmesser)
100 g	Tomatenpesto (siehe Seite 136)
2–3 EL	Paniermehl
50 g	Käse (z.B. Gruyère), gerieben

300 g	Auberginen
300 g	Zucchini
300 g	Tomaten
8 EL	Olivenöl extra vergine
	Meersalz

Guss

3	Eier
150 ml	Vollrahm
75 g	Blanc battu
1 EL	feines Meersalz
1 EL	Peperonciniöl
1 TL	frischer Oregano

Ein Klassiker aus der Hiltl-Küche.

indische samosas

1 Die Kartoffeln schälen und in ½ cm große Würfel schneiden. In Salzwasser weich kochen. Abschütten.
2 Fenchel- und Senfsamen im heißen Sonnenblumenöl anrösten. Den Knoblauch hacken, die Peperoncini entkernen und fein schneiden. Beides zusammen mit den Kartoffelwürfeln beigeben und bei schwacher Hitze mitdünsten. Die restlichen Gewürze ebenfalls beigeben, nochmals kurz mitdünsten und dann mit dem Wasser ablöschen.
3 Den Teig 2–3 mm dick ausrollen und mit dem Teigrad in gleich große Quadrate von etwa 8 × 8 cm schneiden. Den Teig mit dem verklopften Eigelb bestreichen und die Füllung jeweils auf die eine Hälfte der Quadrate verteilen. Den Teig über die Füllung schlagen und zu Dreiecken falten, die Ränder mit einer Gabel gut festdrücken. Überstehenden Rand mit dem Teigrad abtrennen, so dass ein prall gefülltes Dreieck zurückbleibt. Die abgetrennten Teigränder erneut zusammenkneten, ausrollen und mit der restlichen Masse füllen.
4 Die Samosas im heißen Öl 4–6 Minuten goldbraun frittieren oder mit Eigelb bestreichen und im Ofen bei 190 Grad etwa 15 Minuten backen.

Tipp: Samosa- oder Chapati-Teig findet man in gut sortierten indischen oder asiatischen Spezialitätenläden. Notfalls kann auch Blätterteig verwendet werden. Wer den Teig selbst machen möchte, findet das Rezept dazu im Kochbuch »Hiltl. Vegetarisch nach Lust und Laune«. Wer es schärfer mag, kann die Kerne der Peperoncini mitverwenden.

Ergibt etwa 45 Stück

Zubereitungszeit
30 Minuten

600 g	Kartoffeln
5 EL	Sonnenblumenöl
2 TL	Fenchelsamen
6 TL	schwarze Senfsamen
2	Knoblauchzehen
1–2	grüne Peperoncini
20	Curryblätter, ganz
2 TL	Jaffna-Curry
4 TL	Garam Masala
2 TL	Kurkuma
	feines Meersalz
200 ml	Wasser
1 kg	Samosa- oder Chapati-Teig (siehe Tipp)
3	Eigelb, verklopft
	Erdnussöl zum Frittieren

Die Seele baumeln lassen
an einem lauen Sommerabend.

entspannung

DJAS
HOME CAPE TOWN
Indien
ITALIAN DESIGNERS AT HOME
AFRICAN VISIONS
SOUTH
Swahili Chic
DAN BROWN
Elias Canetti

beeren-crumble

1 Die Vollkornbiskuits mit den Baumnüssen im Blitzhacker (Moulinette, Cutter) fein mahlen. Zucker und Öl beigeben und gut mischen, dann gleichmäßig auf dem Boden einer Gratinform (ca. 15 x 20 cm) ausstreichen.
2 Die Beeren putzen und verlesen. Vorsichtig mit der Konfitüre vermischen und auf dem Bröselboden verteilen.
3 Alle weiteren Zutaten in einer Chromstahlschüssel gut vermischen, bis eine kompakte Masse entstanden ist. Diese über der Beerenmasse verteilen.
4 Im vorgeheizten Ofen bei 180 Grad 25–30 Minuten goldbraun backen.

Tipp: Mit einer Kugel Vanilleeis servieren und mit einigen frischen Beeren dekorieren.

Zubereitungszeit
15 Minuten
Backzeit
30 Minuten

100 g Vollkornbiskuits
30 g Baumnüsse (Walnüsse)
1 EL feiner Rohrohrzucker
5 EL Rapsöl

400 g frische Beeren (Johannisbeeren, Heidelbeeren, Himbeeren und Brombeeren)
100 g Kirschen- oder Beerenkonfitüre
150 g Knuspermüesli, ungezuckert
4 EL Rohrohrzucker
1–2 EL Rapsöl

DAS GOURMET
HANDBUCH
Aus Frankreichs Küchen

Kylie Kwong
arabesque
maze
UNDER PRESSURE
sugar club
reuben cooks
SARAH WIENER
FRAU AM HERD
La Dolce Wiener
Wild Weed Pie
indian essence
THE RIVER CAFE COOK BOOK
peter gordon
Alles klar
Peter Gordon
A year in my kitchen
JAMIE OLIVER
VENEZIA
PIER
BIG SUR BAKERY
Thai Food
CHRISTINE MANFIELD
FIRE
ZUNI CAFE
GUARDA e CUCINA
PROVIDORE
KITCHEN LITERACY

he

rbst

herbstlicht

Wenn die Tage wieder kürzer werden, die Blätter fallen und Mützen, Handschuhe, Schals nötig werden, kommt leichte Melancholie auf. Morgens ist mit einem Mal der Nebel da, der alles in ein diffus-milchiges Licht taucht, und weil er irgendwann gar nicht mehr daran denkt, sich tagsüber aufzulösen, zieht es einen in die höheren Lagen, dahin, wo die Sonne scheint und der Himmel strahlend blau ist – man will den Sommer noch ein wenig verlängern. Auch wenn man sich beim Spaziergang gegen den Wind stemmen muss. Und seit langem das erste Mal wieder die Nase läuft. Man sieht rauchende Schornsteine, die Sonnenschirme werden verräumt, draußen wird es ungemütlich. Die Blumen auf den Balkonen und Terrassen leuchten als einzig verbliebene Farbtupfer in der rostrot-ockergelben und dann kahlen Natur, bis man sich schweren Herzens von ihnen trennt. Die Farben des Herbsts sind nicht strahlend, sie sind gedämpft. Dafür kehrt der Appetit zurück. Der Magen will gewärmt werden, eine Tasse heißen Tees sorgt für einen Glücksmoment, erst recht, wenn die Finger klamm sind. Und natürlich wird wieder deftiger gekocht. Der zunehmenden Kälte wird sozusagen kulinarisch Paroli geboten. Die kalten Hände werden beim Stadtbummel mit Marroni gewärmt, Kürbisse haben Hochkonjunktur genauso wie Randen, Äpfel und Kartoffeln. Und man versucht sich auch etwas zu stärken, mit gesunden Säften zum Beispiel, um dann, wenn der Winter da ist und alle im Bus wieder husten und niesen, gegen drohende Erkältungen gewappnet zu sein.

Eine schmackhafte Kombination,
enthält Vitamin B, Kalium und Eisen.

maracuja-randen-saft

1 Die Bananen schälen. Die Zitrone auspressen (es sollte etwa 50 ml Saft ergeben).
2 Die Bananen mit Wasser und Zitronensaft im Mixbecher 1 Minute mixen.
3 Karotten und Randen waschen, schälen, durch die Saftpresse lassen und mit dem Bananensaft mischen.
4 Die Passionsfrüchte halbieren, Kerne und Fruchtfleisch auskratzen und in eine Schüssel geben. Durch ein feines Sieb streichen und unter den Fruchtsaft mischen.

Tipp: Je nach Wunsch kann der Saft mit etwas Ahornsirup gesüßt werden.

Zubereitungszeit
10 Minuten

2	Bananen (geschält 100–120 g)
1	Zitrone
½ l	Wasser
480 g	Karotten
150 g	rohe Randen (Rote Bete)
12	Passionsfrüchte

Zubereitungszeit
30 Minuten

300 g	Kartoffeln
180 g	Pastinaken
150 g	Lauch
3 EL	Rapsöl
40 g	weißes Quinoa
500 ml	Gemüsebouillon
300 ml	Soja-Mandelmilch
	weißer Pfeffer aus der Mühle

lauch-quinoa-suppe

1 Kartoffeln und Pastinaken waschen, schälen und in 1½ cm große Würfel schneiden. Den Lauch waschen und die Blätter ebenfalls in 1½ cm große Quadrate schneiden.
2 Das Öl in einem Topf erhitzen, Kartoffeln, Pastinaken, Quinoa und Lauch kurz darin andünsten. Mit Gemüsebouillon und Sojamilch aufgießen und alles 5 Minuten aufkochen. Dann weitere 15–20 Minuten leicht köcheln lassen. Mit Pfeffer abschmecken.

Zubereitungszeit
40 Minuten

100 g	Dörrbohnen
	Meersalz
½	Zwiebel
8 EL	Rapsöl
60 ml	Gemüsebouillon
1	Knoblauchzehe
80 g	Baumnüsse (Walnüsse)
4 EL	Balsamicoessig
	frischer Koriander, gezupft

dörrbohnensalat

1 Die Dörrbohnen in kaltem, mit Meersalz gesalzenem Wasser aufkochen und 20–25 Minuten leicht kochen lassen, bis sie bissfest sind. Sofort unter fließendem kaltem Wasser abkühlen, gut abtropfen lassen und in eine Schüssel geben.

2 Die Zwiebel fein hacken und im heißen Rapsöl 2 Minuten andünsten. Mit der Gemüsebouillon ablöschen. Kurz abkühlen lassen.

3 Den Knoblauch zu den gekochten Dörrbohnen pressen, die Zwiebelmischung, die grob gehackten Baumnüsse und den Balsamico dazugeben, alles gut vermischen und 10 Minuten ziehen lassen.

4 Vor dem Servieren mit etwas frischem Koriander bestreuen.

Tipp: Man kann die Dörrbohnen vor der Zubereitung 2 Stunden in warmem Wasser einweichen, dann sehen sie weniger runzlig aus. 100 g Dörrbohnen entsprechen etwa 400 g gekochten Bohnen.

apfel-ingwer-salat mit tofu

1 Die Äpfel waschen, achteln, das Kerngehäuse entfernen und das Fruchtfleisch in 1½ cm große Würfel schneiden, sofort mit dem Zitronensaft mischen, damit sie nicht braun werden.
2 Den Stiel der Feigen abschneiden, die Früchte würfeln und zu den Äpfeln geben.
3 Den Tofu ebenfalls in 1½ cm große Würfel schneiden. Mit dem Rapsöl in einer Pfanne kurz anbraten und abkühlen lassen.
4 Den Zitronensaft mit den anderen Zutaten zum Dressing gut verrühren. Mit Äpfeln, Feigen und Tofu vermischen und mit feinem Meersalz abschmecken. Kalt stellen.
5 Vor dem Servieren alles nochmals gut mischen und mit fein geschnittener Pfefferminze bestreuen.

Tipps: Die Zitronen unter fließendem warmem Wasser waschen und auf einer glatten Fläche unter leichtem Druck mit dem Handballen hin und her rollen; so geben sie mehr Saft.
Die Apfelsorte Jonagold schmeckt fein säuerlich, süß und aromatisch. Es eignen sich auch andere Sorten je nach dem persönlichen Geschmack.

Zubereitungszeit
20 Minuten

500 g	Äpfel (Jonagold)
1	Zitrone, Saft (50 ml)
120 g	getrocknete Feigen
250 g	Tofu
8 EL	Rapsöl

Dressing

3	Zitronen, Saft (150 ml)
20 g	Ingwer, frisch gerieben
4 EL	Rohrzucker
4 EL	Sweet Chili Sauce
	feines Meersalz
1 Bund	frische Pfefferminze, fein geschnitten

Eine Abwandlung des orientalischen Klassikers – sehr fein als Dip.

hummus mit peperoni und nüssen

1 Die Kichererbsen in ein Sieb geben, abbrausen und in einer großen Schüssel über Nacht in reichlich Wasser einweichen.
2 Die Kichererbsen abgießen, mit dem frischen Wasser und der gespickten Zwiebel in einen Topf geben und aufkochen, den Schaum abschöpfen. Die Kichererbsen bei schwacher Hitze etwa 40 Minuten weich kochen. Abgießen, kalt abspülen, die gespickte Zwiebel entfernen und die Kichererbsen abtropfen lassen.
3 Die Peperoni waschen, entkernen und vierteln. Mit der Hautseite nach oben auf ein Backblech geben und unter dem heißen Backofengrill rösten, bis die Haut sich dunkel färbt und Blasen wirft. Herausnehmen, mit einem feuchten Küchentuch bedecken und abkühlen lassen, danach die Haut abziehen.
4 Kichererbsen, Peperoni und Rapsöl mit dem Pürierstab oder im Blitzhacker (Cutter) oder Mixer fein pürieren.
5 Alle anderen Zutaten darunterrühren und sehr gut vermischen. Falls die Konsistenz zu dick ist, noch etwas Wasser dazugeben. Kühl stellen.
6 Den Hummus in einer Schale anrichten. Die Petersilie fein hacken und darüberstreuen.

Tipp: Den Hummus mit frischem Fladenbrot, Pitabrot oder auf gerösteten Brotscheiben servieren.

Zubereitungszeit
25 Minuten
Kochzeit
40 Minuten

- 200 g Kichererbsen, getrocknet
- 2 l Wasser zum Kochen
- 1 Zwiebel, gespickt mit Lorbeerblatt und Nelken
- 3 rote Peperoni (Paprika; ca. 450 g)
- 7 EL Rapsöl
- 130 g Baumnüsse (Walnüsse), gemahlen
- 2 EL Zitronensaft
- 1 EL Peperonciniöl
- 1 TL feines Meersalz
- 2 Knoblauchzehen, gepresst
- ½ TL Garam Masala
- ½ TL gemahlener Kreuzkümmel
- ½ TL mildes Paprikapulver
- 1 Bund frische Petersilie

roter reissalat

1 Salzwasser aufkochen, den Reis beigeben und 30 Minuten kochen. In ein Sieb abschütten und unter fließendem kaltem Wasser gut abkühlen, dann abtropfen lassen.
2 Peperoni und Zucchini in 1 cm große Würfel schneiden.
3 Die Petersilie waschen, gut trocken schütteln und fein hacken.
4 Alle anderen Zutaten in einer Schüssel gut verrühren und den Reis dazugeben.
5 Petersilie und Gemüse beifügen, alles gut vermischen und kühl stellen.

Tipp: Der Camargue-Reis erhält seine rote Farbe durch den Anbau auf tonhaltiger Erde, er ist unbehandelt und wird ungeschält gegessen, ist also ein Naturreis. Er schmeckt nussig und bleibt körnig. Das Rezept kann auch mit schwarzem Riso Venere zubereitet werden.

Zubereitungszeit
30 Minuten

160 g	Camargue-Reis
je 1	rote und 1 gelbe Peperoni (Paprika)
1	Zucchini
1 Bund	Petersilie
2 EL	Rapsöl
3 EL	weißer Balsamicoessig
1 TL	Peperonciniöl
1 TL	feines Meersalz
1 EL	Tomatenpüree
½ TL	scharfes Currypulver
½ TL	mildes Paprikapulver
½ TL	gemahlener Koriander
½ TL	gemahlener Kreuzkümmel

Gehört zum Herbst: die Kastanie. Sie ist zwar stachelig, schmeckt aber herrlich und ist ein Multitalent.

sorgfalt

Ein besonders leckeres Pastagericht.
Die feine Sauce macht Lust auf mehr.

cavatappi an zucchini-curry-sauce

1 Die Zucchini waschen, längs in dünne Scheiben und dann diese in feine 10 cm lange Streifen schneiden.
2 Sojamilch und Kokosmilch zusammen aufkochen. Die Maisstärke mit dem Wasser anrühren, zur Sauce geben und eine weitere Minute kochen lassen, bis sie bindet.
3 Den Ingwer mit allen Gewürzen gut vermischen, zur Sauce geben und nochmals 1 Minute leicht kochen lassen.
4 Inzwischen die Teigwaren in reichlich Salzwasser bissfest kochen, abschütten und abtropfen lassen. Die abgetropften Teigwaren und die Zucchinistreifen in die Sauce geben, nochmals gut aufkochen, mit Meersalz und Pfeffer abschmecken und sofort servieren.

Tipp: Sojamilch kann auch durch Vollmilch ersetzt werden.
Cavatappi, auch Cellentani oder doppelte Ellbogen genannt, sind kurze spiralförmige Röhrennudeln (Makkaroni). In der Regel sind sie auf der Außenseite gerillt.

Zubereitungszeit
20 Minuten

Sauce

200 g	Zucchini
250 ml	Sojamilch nature
250 ml	Kokosmilch
3 EL	Maisstärke (Maizena)
4 EL	Wasser
50 g	Ingwer, frisch gerieben
1 TL	Senfsamen
½ TL	gemahlener Kreuzkümmel
½ TL	gemahlener Koriander
½ TL	Garam Masala
1 TL	Kurkuma
250 g	Cavatappi oder andere Teigwaren
	feines Meersalz und schwarzer Pfeffer aus der Mühle

Für Liebhaber der scharfen indischen Küche.

goa curry

1 Von der Ananas Strunk und Schale entfernen, das Fruchtfleisch in 1½ cm große Würfel schneiden.
2 Zwiebel und Perlzwiebeln schälen. Die Peperoncini längs halbieren und entkernen. Zwiebel und Peperoncini klein würfeln.
3 Den Tofu ebenfalls in 1½ cm große Würfel schneiden.
4 In einer Bratpfanne Zwiebel, Peperoncini, Ananaswürfel und Perlzwiebeln mit 8 Esslöffeln Rapsöl 5 Minuten leicht anbraten.
5 In einer zweiten Pfanne den Tofu in den restlichen 4 Esslöffeln Rapsöl kurz anbraten, dann zur Ananasmischung geben.
6 Alle Zutaten zur Sauce in einem weiten Topf mischen, aufkochen und dann 2 Minuten leicht einkochen lassen. Die Ananas-Tofu-Mischung dazugeben und alles 5 Minuten fertig garen.
7 Mit Basmatireis (siehe Seite 136) anrichten und mit gerösteten Kokos-Chips garnieren.

Zubereitungszeit
40 Minuten

¼ Ananas (250 g)
1 Zwiebel
100 g Perlzwiebeln
80 g grüne Peperoncini
200 g Tofu nature
120 ml Rapsöl

Sauce
120 ml Gemüsebouillon
280 ml Kokosmilch
2 EL grüne Currypaste
1 EL Ingwer, frisch gerieben
1 TL feines Meersalz
1 EL Tomatenpüree
½ TL Currypulver
½ TL mildes Paprikapulver
½ TL gemahlener Koriander
½ TL gemahlener Kreuzkümmel
½ TL Zimtpulver
30 g Kokos-Chips, trocken geröstet

Eine Rezeptidee aus der kreolischen Küche von unserem Küchenchef in London.

gemüse-jambalaya

1 Den Reis in kochendem Wasser etwa 20 Minuten garen.
2 Die Gemüse waschen und in 1½ cm große Würfel schneiden.
3 Die Zwiebel fein hacken, den Knoblauch in Scheiben schneiden. Alles zusammen in einer großen Pfanne oder im Wok im Rapsöl 7–9 Minuten anbraten. Die Gewürze beigeben, gut mischen und weiterdünsten, bis das Gemüse bissfest gegart ist.
4 Den Reis abschütten, zur heißen Gemüsemischung geben und gut vermischen.
5 Die Tomaten waschen und in 1½ cm große Würfel schneiden. Vor dem Servieren über das Gericht streuen.

Tipp: Es eignen sich auch andere Gemüse wie Kefen, Okras, grüne Bohnen oder Mais.

Zubereitungszeit
30 Minuten

200 g	Langkornreis
150 g	Auberginen
150 g	Butternuss-Kürbis
150 g	rote und grüne Peperoni (Paprika)
150 g	Zucchini
1	Zwiebel
2	Knoblauchzehen
8 EL	Rapsöl
1 Prise	Cayennepfeffer
2 EL	feines Meersalz
1 TL	frischer Thymian
2	Lorbeerblätter
1–2 TL	Sambal Oelek
200 g	Tomaten

Nach einem Rezept aus Sri Lanka.

gelberbsen-vadai

1 Die Gelberbsen über Nacht in kaltem Wasser einweichen. Danach abgiessen, kurz kalt abspülen und abtropfen lassen. Im Cutter sehr fein pürieren.
2 Zwiebel und Knoblauch fein hacken, die Peperoncini entkernen und ebenfalls fein hacken. Die Curryblätter fein schneiden.
3 Das Gelberbspüree mit allen weiteren Zutaten zu einer homogenen Masse verarbeiten. Von Hand daraus baumnussgrosse, ovale Bällchen formen und auf einem leicht geölten Backpapier bereit halten.
4 Das Öl auf 160 Grad erhitzen. Die Bällchen portionenweise jeweils 4–6 Minuten frittieren. Herausnehmen und auf Haushaltspapier abtropfen lassen.

Tipps: Als Beilage eignet sich ein feines Chutney.
Ein weiteres Vadai-Rezept finden Sie in »Hiltl. Vegetarisch nach Lust und Laune«.

Zubereitungszeit
20 Minuten

200 g	Gelberbsen
1	Zwiebel
2	Knoblauchzehen
2–3	grüne Peperoncini
4–5	frische Curryblätter
1 TL	frisch gemahlener weisser Pfeffer
2 EL	scharfes Currypulver
1 EL	feines Meersalz
	Rapsöl zum Frittieren

Sich zufrieden auf dem Sofa
entspannen – was gibt es Schöneres?

Für eine Form von 30 cm Länge
Zubereitungszeit
30 Minuten
Backzeit
1 Stunde

6 Eier
150 g Butter, nicht zu kalt
150 g Rohrohrzucker
1 TL Salz

140 g Mandeln, fein gemahlen
220 g blaue Mohnsamen
1 TL Backpulver (5 g)
80 g Rohrohrzucker

2 EL Maisstärke (Maizena)
Butter und Mandelblättchen für die Form

mohnkuchen

1 Die Eier trennen.
2 Die Butter mit Zucker, Salz und den Eigelben schaumig rühren.
3 Mandeln, Mohnsamen und Backpulver gut vermischen.
4 Das Eiweiß mit der zweiten Portion Zucker steif schlagen, dann die Maisstärke darunterheben. Den Eischnee auf die luftig gerührte Buttermasse geben, darüber die Mohn-Mandel-Mischung und dann alles mit dem Gummispachtel vorsichtig und gründlich vermischen.
5 Die Form ausbuttern und mit Mandelblättchen ausstreuen oder mit Backtrennpapier auslegen. Den Teig in die Backform füllen und im vorgeheizten Ofen bei 180 Grad etwa 60 Minuten backen.

Tipp: Für ein noch intensiveres Aroma kann man die Mohnsamen zusammen mit den gemahlenen Mandeln im Backofen bei 170 Grad etwa 8 Minuten rösten. Der Kuchen ist eine Woche im Kühlschrank haltbar.

Zubereitungszeit
15 Minuten

125 ml	Wasser
250 ml	Kokosmilch
125 g	Kakaopulver, gesüßt
4 EL	Rohrohrzucker
2½ EL	Maisstärke (Maizena)
2½ EL	Wasser, kalt
150 ml	Vollrahm

schokolade-kokos-dessert

1 Wasser, Kokosmilch, Kakaopulver und Zucker in einen Topf geben und aufkochen. Die Maisstärke mit dem kalten Wasser anrühren, zur Creme geben und diese nochmals aufkochen, damit sie bindet. Die Creme in eine Schüssel füllen und mit Klarsichtfolie abgedeckt kühl stellen.
2 Die erkaltete Creme mit dem Handmixer sämig rühren.
3 Den Rahm steif schlagen und vorsichtig unter die Creme ziehen.

nter

winterland

Er kennt kein Pardon. Er lässt das Leben erstarren. Der Winter ist unerbittlich, und wer im Flachland wohnt, sieht oft monatelang die Sonne nicht mehr. Es müssen sich also gar keine Eisblumen an den Fenstern bilden. Es muss nicht einmal schneien. Die frostigen Temperaturen und das unfreundliche Wetter draußen reichen, dass man dem Winter den Rücken kehrt und am liebsten daheim bleibt. Da, wo es warm ist und gemütlich. Man entzündet ein Feuer im Cheminée und schaut in die Flammen. Kuschelt sich in einer Wolldecke aufs Sofa und liest. Stundenlang. Oder man sieht sich die Filme an, die man den Sommer über verpasst hat. Sich von innen zu wärmen, tut jetzt der Seele gut. Manchmal reicht schon ein Punsch, der einem glühende Wangen und rote Ohren verleiht und die klammen Finger wieder beweglich werden lässt. Zu Hause bleiben heißt aber nicht, dass man sich zurückzieht. Im Gegenteil. Es ist die Zeit der Einladungen, der lecker dampfenden Schüsseln, der langen Abende mit Freunden, an denen über Gott und die Welt diskutiert wird. Oder man fängt an, Monopoly zu spielen und kann nicht mehr aufhören, weil plötzlich jeder gewinnen will. In der Vorweihnachtszeit ist das Bedürfnis, liebe Menschen um sich zu haben und mit ihnen zu essen, noch größer. Ein üppig gedeckter Tisch, gemeinsames Kochen, wärmende und nahrhafte Mahlzeiten, die einem Kraft geben – es gibt nichts Besseres, wenn es draußen stürmt und friert. Der volle und warme Bauch versöhnt einen mit der Kälte und macht glücklich. Und es muss ja nun wirklich nicht immer Fondue oder Raclette sein.

Zur Stärkung der Abwehrkräfte im Winter.
Im Sommer kalt als Limonade sehr beliebt.

ingwer-zitronen-punsch

1 Den Ingwer schälen und etwas zerkleinern. Die Zitronen auspressen (sollte 120 ml Saft ergeben).
2 Den Zitronensaft mit Zucker, Ingwer, Holundersirup und Wasser in einen Mixbecher geben und auf voller Stufe gut 5 Minuten mixen. Kurz stehen lassen, dann durch ein feines Sieb streichen, gut ausdrücken und kühl stellen.
3 Für Punsch den Ingwer-Zitronen-Sirup in die Tasse geben und mit heißem Wasser auffüllen.
4 Für Limonade einige Eiswürfel in ein hohes Glas füllen, den Ingwer-Zitronen-Sirup darübergeben, mit Mineralwasser auffüllen und mit einem Zitronenschnitz garnieren.

Für 6 Personen
Zubereitungszeit
15 Minuten

Ingwersirup

80 g	Ingwer (geschält 50 g)
3	Zitronen
6 EL	Zucker
8 EL	Holundersirup
4 EL	Wasser

Pro Person und Tasse

5 EL	Ingwer-Zitronen-Sirup
1 Tasse	heißes Wasser

Als Limonade pro Person und Glas

5 EL	Ingwer-Zitronen-Sirup
	Eiswürfel
	Mineralwasser mit Kohlensäure
1	Zitronenschnitz

Zubereitungszeit
20 Minuten

600 g	Weißkohl
350 g	Karotten

Dressing

150 g	Reis-Mayonnaise (siehe Tipp)
120 g	Joghurt nature
5 EL	weißer Balsamicoessig
4 EL	Pfirsich-Maracuja-Sirup

coleslaw

1 Kohl und Karotten waschen, die Karotten schälen. Beides mit der Gemüseraffel in feine Streifen hobeln.
2 Alle Zutaten zum Dressing in einer großen Schüssel gut verrühren, mit Kohl und Karotten mischen und 1 Stunde im Kühlschrank ziehen lassen.

Tipps: Reis-Mayonnaise ist eine vegane Mayonnaise auf Reisbasis; sie ist in gut sortierten Reformhäusern erhältlich.
Statt Pfirsich-Maracuja-Sirup einen anderen Sirup verwenden, z.B. Orangen-, Holunder- oder Aprikosensirup. Im Delikatessenladen oder Reformhaus erhältlich.

Zubereitungszeit
20 Minuten

300 g	Pastinaken
200 g	Kartoffeln
3	Schalotten
1	Knoblauchzehe
2 EL	Olivenöl extra vergine
600 ml	Gemüsebouillon
100 ml	Sojamilch nature
½	Zitrone, Saft
	Meersalz und weißer Pfeffer aus der Mühle
½ Bund	Majoran

pastinakensuppe

1 Die Pastinaken und Kartoffeln waschen, schälen und in 2 cm große Würfel schneiden. Schalotten und Knoblauchzehe schälen und fein schneiden.
2 Das Olivenöl in einem Topf erhitzen, Schalotten, Knoblauch, Pastinaken und Kartoffeln darin andünsten. Mit Gemüsebouillon und Sojamilch aufgießen und die Suppe etwa 10 Minuten köcheln lassen, bis das Gemüse weich ist.
3 Die Suppe mit dem Pürierstab oder im Mixer fein pürieren und durch ein Sieb streichen.
4 Zuletzt die Suppe nochmals mit dem Zitronensaft aufkochen, mit Meersalz und Pfeffer würzen. Mit dem gezupften Majoran bestreuen.

Tipp: Pastinaken sehen aus wie Karotten, sind jedoch von weiß-gelblicher Farbe. Ihr Geschmack ist süßlich, herb, würzig und erinnert an Karotte, Sellerie oder Petersilienwurzel.

thai-kokosmilchsuppe

1 Zwiebel und Knoblauch schälen und fein schneiden, das Zitronengras flach klopfen und ebenfalls fein schneiden, ebenso die Kaffirlimettenblätter. Die Peperoncini längs halbieren, entkernen und in Streifen schneiden. Galgant und Ingwer schälen und in Scheiben schneiden. Die Limetten waschen und auspressen.
2 Das Rapsöl erhitzen, Zwiebel, Knoblauch, Zitronengras, Kaffirlimettenblätter, Peperoncini und Galgantwurzel darin andünsten, bis die Zwiebeln glasig sind.
3 Dann Gemüsebouillon, Kokosmilch, Limettensaft, Ingwer, Rohrzucker beigeben und alles bei niedriger Hitze 10 Minuten kochen lassen.
4 Die Suppe im Mixer oder mit dem Pürierstab fein pürieren und durch ein Sieb streichen.
5 Die Suppe nochmals aufkochen. Die Maisstärke mit dem kalten Wasser anrühren, zur Suppe geben und noch 1 Minute köcheln lassen, bis sie bindet.
6 Die Suppe mit gezupftem Koriander bestreuen.

Tipps: Als Einlage eignen sich Mini-Maiskolben. Statt Koriander kann man auch Thai-Basilikum verwenden.
Der zur Familie der Ingwergewächse gehörende Galgant wird vor allem als Gewürz und als Heilpflanze verwendet. Er schmeckt aromatisch, bitter und regt die Verdauung an.

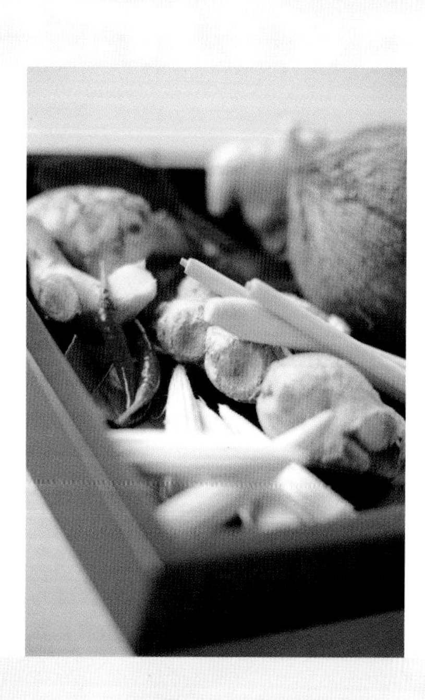

Zubereitungszeit
25 Minuten

1	kleine Zwiebel
2	Knoblauchzehen
2 Stängel	Zitronengras
4–5	Kaffirlimettenblätter
3	rote Peperoncini
50 g	Galgantwurzel
50 g	Ingwer
2	Limetten
3 EL	Rapsöl
500 ml	Gemüsebouillon
500 ml	Kokosmilch
1 TL	Rohrohrzucker
1 EL	Maisstärke (Maizena)
1 EL	Wasser
½ Bund	frischer Koriander

Sieht attraktiv aus, schmeckt leicht und bekömmlich.

schwarzes quinoa mit cherrytomaten

1 Salzwasser aufkochen, das Quinoa beigeben und etwa 20 Minuten kochen lassen, bis es ausquillt. In ein Sieb abschütten und gut abtropfen, aber nicht abkühlen lassen.
2 Die Gemüse waschen. Peperoni und Gurke entkernen und in 1 cm große Würfel schneiden. Die Cherrytomaten vierteln.
3 Die Zutaten zur Sauce gut verrühren und zum Quinoa geben.
4 Die Gemüsewürfel und die Cherrytomaten beifügen und alles gut vermischen.

Tipp: Quinoa bereits am Vorabend kochen und im Kühlschrank abkühlen und abtropfen lassen.

Zubereitungszeit
30 Minuten

100 g	schwarzes Quinoa
je ½	rote und ½ gelbe Peperoni (Paprika)
½	Gurke
100 g	Cherrytomaten

Sauce

2½ EL	Olivenöl extra vergine
3 EL	Sweet Chili Sauce
2½ EL	weißer Balsamicoessig
1 TL	feines Meersalz

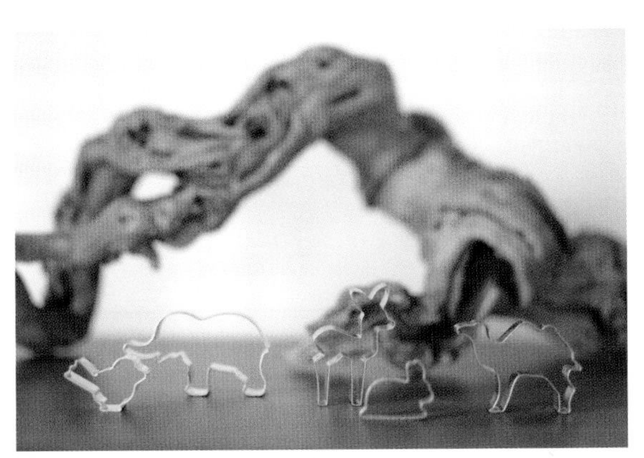

Wärmt die Seele: Es sich
zu Hause gut gehen lassen.

Eine der edelsten Linsensorten und wie alle Linsen ein sehr guter Eiweißlieferant.

belugalinsen-salat

1 Die Linsen in gesalzenem Wasser etwa 18 Minuten kochen.
2 Die Karotten waschen, schälen und in 1 cm große Würfel schneiden. Zu den Linsen geben und weitere 2 Minuten mitkochen, dann alles sofort abschütten, mit kaltem Wasser abschrecken und gut abtropfen lassen.
3 Die Zucchini waschen, ebenfalls in 1 cm große Würfel schneiden und zu den Linsen geben.
4 Für das Dressing die getrockneten Tomaten fein hacken und mit allen weiteren Zutaten gut verrühren.
5 Die Linsen mit dem Dressing vermischen, mit Salz und Pfeffer würzen.

Tipps: Belugalinsen sind nach der berühmten Kaviarsorte benannt, da sie fast ebenso klein, schwarz und glänzend aussehen. Sie eignen sich ideal als feine Gemüsebeilage, für Vorspeisen oder zum Dekorieren. Ein weiterer Vorteil: Sie zerfallen beim Kochen nicht.
Tikka-Currypaste ist eine nordindische Gewürzmischung, die für Saucen und Marinaden verwendet wird. Bei Bedarf etwas Olivenöl beifügen.

Zubereitungszeit
30 Minuten

200 g Belugalinsen
2 Karotten
2 Zucchini

Dressing
60 g getrocknete, in Öl eingelegte Tomaten
20 g Ingwer, frisch gerieben
6 EL Olivenöl extra vergine
6 EL weißer Balsamicoessig
2 EL Tikka-Currypaste (siehe Tipp)
1 EL Peperonciniöl
feines Meersalz und weißer Pfeffer aus der Mühle

Ein Hauch von Indien für alle, die es eher mild mögen.

warmes dal mit blattspinat

1 Die Linsen in Salzwasser etwa 8 Minuten kochen, abschütten und abtropfen lassen.
2 Zwiebel und Knoblauch schälen und fein hacken. Den Ingwer schälen und fein reiben. Eine Bratpfanne erhitzen, das Öl beigeben, die Zwiebel darin glasig dünsten, dann Knoblauch, Ingwer und alle Gewürze beigeben und 1 Minute dünsten, bis die Mischung gut duftet.
3 Den gewaschenen und von groben Stielen befreiten Spinat dazugeben und 2–3 Minuten mitdünsten.
4 Kokosmilch und Wasser beifügen und unter ständigem Rühren gut mischen.
5 Die abgetropften Linsen dazugeben, mischen und nochmals 5 Minuten weiter kochen.
6 Mit Meersalz, schwarzem Pfeffer aus der Mühle und dem Zitronensaft abschmecken.

Zubereitungszeit
30 Minuten

- 250 g rote Linsen
- 1 Zwiebel
- 1 Knoblauchzehe
- 20 g Ingwer
- 4 EL Rapsöl
- 1 TL Senfsamen
- ½ TL gemahlener Kreuzkümmel
- ½ TL gemahlener Koriander
- ½ TL Garam Masala
- 1 TL Kurkuma
- 500 g frischer Blattspinat
- 400 ml Kokosmilch
- 200 ml Wasser
- Meersalz und schwarzer Pfeffer aus der Mühle
- ½ Zitrone, Saft

Eine sehr winterliche Pastakreation.

linguine mit kürbis und krautstiel

1 Die Zitronen waschen, die Schale in feinen Zesten ablösen und den Saft auspressen (es sollte 50 ml Saft ergeben).
2 Den Kürbis schälen, längs in 3 mm dünne Scheiben und dann diese in feine, etwa 10 cm lange Streifen schneiden.
3 Den Krautstiel waschen, Stängel und Blätter ebenfalls in Streifen schneiden; bis zur Verwendung in Milchwasser einlegen.
4 Rahm, Milch, Gemüsebouillon und Peperonciniöl aufkochen. Die Maisstärke mit dem kalten Wasser anrühren, dazugeben und etwa 1 Minute kochen lassen, bis die Sauce bindet.
5 Die Linguine in der Mitte brechen und in reichlich Salzwasser 4–6 Minuten bissfest kochen, abschütten und abtropfen lassen.
6 Die abgetropften Teigwaren, die rohen Kürbisstreifen, den abgetropften Krautstiel und die Zitronenzesten in die Sauce geben, alles gut vermischen und nochmals aufkochen. Mit Salz, Pfeffer und Zitronensaft abschmecken. Sofort servieren.

Tipp: Linguine (wörtlich übersetzt »kleine Zungen«) sind flache Spaghetti. Ersatzweise kann man auch Taglierini verwenden.

Zubereitungszeit
20 Minuten

1–2	Zitronen
¼	Butternuss-Kürbis (ca. 300 g)
200 g	Krautstiel (Mangold)
200 ml	Rahm
300 ml	Milch
100 ml	Gemüsebouillon
1 TL	Peperonciniöl
1 EL	Maisstärke (Maizena)
1 EL	Wasser
300 g	Linguine oder andere Teigwaren
	Meersalz und weißer Pfeffer aus der Mühle

Jede Minute seiner Zubereitungszeit wert.

dinkelrisotto mit champignons

1 Die Dinkelkörner waschen und abtropfen lassen.
2 Die Zwiebel fein hacken und im Rapsöl andünsten, die Dinkelkörner beigeben, kurz andünsten, dann mit der Gemüsebouillon aufgießen. Auf kleiner Stufe 50 Minuten kochen lassen, dabei immer wieder umrühren, bis die Dinkelkörner die Flüssigkeit aufgesogen haben.
3 Die Champignons putzen und in Scheiben schneiden. Im Rapsöl andünsten. Das Peperonciniöl beifügen, mit der Gemüsebouillon ablöschen. Den Rahm dazugießen und etwas einkochen lassen.
4 Die Champignons samt Sauce unter die gekochten Dinkelkörner mischen, nochmals unter ständigem Rühren kurz aufkochen und 3 Minuten fertig garen. Zuletzt den geriebenen Käse und die gehackte Petersilie darunterziehen.

Tipps: Die Dinkelkörner bereits am Vorabend vorkochen. Statt Rahm kann auch Sojarahm verwendet werden. Im Gegensatz zu klassischem Rapsöl ist das sogenannte HOLL-Rapsöl (High Oleic, Low Linolenic; mit mehr Ölsäure, dafür weniger Linolensäure als gewöhnliches Rapsöl) sehr hitzebeständig und eignet sich daher optimal zum Braten und Frittieren. Rapsöl kann warm oder kalt gepresst sein. Kaltgepresste Öle sind schonender hergestellt und darum intensiver in Geschmack und Farbe, jedoch auch weniger lange haltbar.

Zubereitungszeit
1 Stunde

250 g Dinkelkörner
1 Zwiebel
4 EL Rapsöl
1,2 l Gemüsebouillon

250 g Champignons
4 EL Rapsöl
½ TL Peperonciniöl
125 ml Gemüsebouillon
200 ml Vollrahm

50 g Käse (z.B. Gruyère, Emmentaler), gerieben
1 Bund Petersilie, gehackt

spinat-feta-lasagne

1 Den Fetakäse grob reiben (Röstiraffel). Die Tomaten in ½ cm dicke Scheiben schneiden.
2 Die Spinatblätter waschen, grobe Stiele entfernen. Die Zwiebel schälen und fein hacken.
3 Eine Bratpfanne erhitzen, das Öl hineingeben und die Zwiebel darin glasig dünsten. Den Spinat dazugeben und 2–3 Minuten dünsten.
4 Sojamilch, Gemüsebouillon und Peperonciniöl zusammen aufkochen. Die Maisstärke mit dem Wasser anrühren, zur Sojamilch geben und 1 Minute weiter kochen lassen, bis sie bindet.
5 Die Lasagne wie folgt in eine Gratinform (ca. 15 x 22 cm) einschichten: 200 g Sauce, mit einer Schicht Lasagneblätter bedecken; die Hälfte des Spinats und die Hälfte des geriebenen Fetakäses, wiederum mit Lasagneblättern bedecken; 300 g Sauce, den restlichen Spinat und die Tomatenscheiben, mit Lasagneblättern belegen; zuletzt die restlichen 300 g Sauce und mit dem restlichen Fetakäse bestreuen.
6 Die Lasagne mit einem spitzen Messer einige Male einstechen (damit sich die Lasagne beim Backen nicht aufbläht). Im vorgeheizten Backofen bei 180 Grad 25–30 Minuten backen.

Zubereitungszeit
1 Stunde

160 g	Fetakäse
200 g	Tomaten
500 g	frischer Blattspinat
1	Zwiebel
4 EL	Rapsöl
550 ml	Sojamilch nature
250 ml	Gemüsebouillon
½ TL	Peperonciniöl
8 EL	Maisstärke (Maizena)
8 EL	Wasser
200 g	frische grüne Lasagneteigblätter

Tauchen alles in ein schönes Licht: Kerzen.
Am besten gleich ganz viele davon.

lichträume

Ein exotisches Dessert, das ganz einfach zuzubereiten ist.

bananencreme mit vanille und kurkuma

1 Milch, Zucker, Kurkuma und das ausgekratzte Mark der Vanillestangen in einen Topf geben und aufkochen. Die Maisstärke mit dem Wasser anrühren, zur Milchmischung geben und noch etwa 1 Minute kochen lassen, bis sie bindet.
2 Die Creme in eine Schüssel umfüllen und abgedeckt 1 Stunde kalt stellen.
3 Die Bananen mit der Creme im Mixer oder mit dem Handmixer gut verrühren.
4 Den Rahm steif schlagen und vorsichtig darunterheben. Kalt stellen.

Tipp: Ausgekratzte Vanillestangen entweder mitkochen und nach dem Kochen entfernen. Oder in ein Schraubglas geben, mit weißem Zucker auffüllen und fest verschließen. So nimmt der Zucker den Vanillegeschmack an.

Zubereitungszeit
20 Minuten

200 ml	Milch
50 g	Rohrohrzucker
1 TL	Kurkuma
2	Bourbon-Vanillestangen
2 EL	Maisstärke (Maizena)
2 EL	Wasser
300 g	geschälte Bananen
120 ml	Vollrahm

Für kleine wie große Schleckmäuler.

schoko-kokos-makronen

1 Den Backofen auf 150 Grad vorheizen.
2 Den Kristallzucker mit dem Vanillezucker vermischen. Die Schokolade fein reiben.
3 Die Eier trennen. Das Eiweiß steif schlagen, dabei die Zucker-Vanille-Mischung einrieseln lassen und zu sehr steifem Schnee schlagen.
4 Kokosraspel und geriebene Schokolade vorsichtig unter den Eischnee heben.
5 Die Masse in einen Spritzsack mit Sterntülle füllen und kleine Makronen auf ein mit Backpapier ausgelegtes Blech spritzen oder mit Hilfe zweier angefeuchteter Teelöffel kleine Nocken abstechen und auf das Blech setzen. Im vorgeheizten Ofen 15–20 Minuten backen. Herausnehmen, gut auskühlen lassen und erst dann vom Backpapier lösen.

Tipp: Noch intensiver wird der Schokoladengeschmack, wenn man die Schokolade über einem Wasserbad schmilzt, lauwarm abkühlen lässt und dann vorsichtig unter die Eischnee-Kokos-Mischung hebt.

Ergibt 30–40 Stück
Zubereitungszeit
15 Minuten

2	Eier
160 g	feiner Kristallzucker
5 g	Vanillezucker
100 g	dunkle Schokolade (mindestens 46% Kakaoanteil)
160 g	Kokosraspel

grundrezepte

Chili-Orangen-Dressing

1 Die Orangen waschen und auspressen (es sollte 300 ml Saft ergeben).
2 Die Reis-Mayonnaise mit dem Orangensaft und allen anderen Zutaten in einen Mixbecher geben und mit dem Handmixer 1 Minute mixen, bis eine homogene Masse entstanden ist.
3 Kühl stellen. Fest verschlossen bis 5 Tage im Kühlschrank haltbar.

Ergibt 1 Liter
Zubereitungszeit
10 Minuten

4–5 Orangen
350 g Reis-Mayonnaise (aus dem Reformhaus, siehe Tipp Seite 110)
70 ml weißer Balsamicoessig
160 ml Rapsöl
100 g Sambal Oelek
40 g Rohrohrzucker

Tomatenpesto

1 Den Knoblauch schälen. Die getrockneten Tomaten abtropfen lassen.
2 Alle Zutaten im Mixer oder Cutter fein pürieren.
3 Den Pesto in Gläser abfüllen und im Kühlschrank aufbewahren.

Ergibt 500 g
Zubereitungszeit
10 Minuten

4 Knoblauchzehen
150 g getrocknete, in Öl eingelegte Tomaten
120 ml Olivenöl extra vergine
8 EL Sonnenblumenöl
140 g Tomatenpüree
½ TL gemahlene Galgantwurzel

Gewürz-Basmatireis

1 Den Reis unter fliessendem kaltem Wasser gut waschen und in einem Sieb abtropfen lassen.
2 Das Wasser mit dem Rapsöl und allen Gewürzen mischen, den abgetropften Basmatireis dazugeben und aufkochen.
3 Dann den Reis zudecken und auf kleiner Hitze 12–15 Minuten sanft köcheln lassen, nicht rühren.
4 Den Topf von der Herdplatte nehmen und den Reis etwa 5 Minuten nachziehen lassen. Zimtstange und Nelken entfernen und den Reis auflockern.

Zubereitungszeit
20 Minuten

250 g Basmatireis
420 ml Wasser
2 EL Rapsöl
feines Meersalz
½ Zimtstange
2 Nelken
½ TL gemahlener Kreuzkümmel
½ TL gemahlener Koriander

Hausgemachte Gemüsebouillon

1 Sämtliche Gemüse waschen und in grobe Stücke schneiden.
2 Das Öl in einem großen Topf erhitzen. Karotte, Zwiebeln, Fenchel und Sellerie darin leicht anbräunen. Wirz, Lauch, die ganzen Gewürze und die Lorbeerblätter beigeben und andünsten, bis es duftet. Dann die Kräuterzweige dazugeben, mit dem Wasser ablöschen, aufkochen und 45 Minuten sieden lassen. Zuletzt das Meersalz beigeben und rühren, bis es sich aufgelöst hat.
3 Die Bouillon absieben, in ausgekochte Gläser oder Glasflaschen füllen, sofort verschließen und auskühlen lassen. Fest verschlossen im Kühlschrank etwa 2 Wochen haltbar.

Tipps: Diese Bouillon kann als Basis für Suppen oder Saucen und zum Ablöschen verwendet werden. Das Rezept stammt aus »Hiltl. Vegetarisch. Die Welt zu Gast«.
Die Lorbeerblätter mit einer Schere seitlich mehrfach einschneiden, so kann sich ihr Geschmack besser entfalten. Durch die Verwendung der Zwiebeln mit Schale erhält die Bouillon eine schöne braune Farbe.

Ergibt 3½ Liter
Zubereitungszeit
1 Stunde

1 Karotte
2 Zwiebeln mit Schale
½ Fenchelknolle
½ kleine Sellerieknolle
1 kleine Lauchstange
¼ kleiner Wirz (Wirsing)
2 EL Rapsöl
1 EL schwarze Pfefferkörner, ganz
1 TL Fenchelsamen
1 TL braune Senfsamen
1 TL Kümmel, ganz
2 Lorbeerblätter
4 Zweige Petersilie
1 Zweig Rosmarin
1 Zweig Estragon
4 l Wasser
2 EL feines Meersalz

Dinkelteig

1 Das Mehl mit dem Olivenöl gut vermischen. Wasser und etwas Meersalz hinzufügen und alles gut zu einem Teig kneten. Den Teig im Kühlschrank 1 Stunde fest werden lassen.
2 Den Teig auf Backpapier in der Größe des Blechs ausrollen. Das Blech damit auslegen und an den Rändern gut festdrücken.

Tipp: Eine ausgezeichnete Basis für feine Quiches.

Zubereitungszeit
10 Minuten

150 g Dinkelruchmehl (Type 1050)
75 ml Olivenöl
75 ml Wasser, lauwarm
feines Meersalz

Von Bettina Weber

tibits – wenn vegetarisch essen glücklich macht

Drei Brüder

Da waren drei aufgeweckte Brüder aus dem St. Galler Rheintal, die kein Fleisch aßen. Schon als Jugendliche nicht. Und das in den siebziger Jahren, was insofern ungewöhnlich war, als dass damals Fleisch ganz einfach dazugehörte und eine Selbstverständlichkeit war. Reto, Daniel und Christian Frei mochten aber kein Fleisch. Sie mochten es nicht, aus ethischen Gründen. Das ist bis heute so. Und obschon sich das gesellschaftliche Bewusstsein geändert hat, ist eines gleich geblieben: Männer stehen am Grill. Männer essen Steaks. Reto, Daniel und Christian Frei sehen das anders. Ihre Mutter ist Italienerin. Sie brachte ihnen das Kochen bei, die Leidenschaft fürs Essen. Und die ist auch da, wenn man sich vegetarisch ernährt. Heute sind die drei immer noch ein wenig Exoten. Aber ihre Haltung, völlig frei von jeglichem Bekehrungsbedürfnis, hat sie zu Unternehmern gemacht, und zu äußerst erfolgreichen dazu. Weil sie Genussmenschen sind.

Die Idee und das Vorurteil

Während seines Studiums zum Betriebs- und Produktionsingenieur an der ETH Zürich wurde Reto Frei von einem Kollegen in eine Vorlesung geschleppt, die er eigentlich hatte sausen lassen wollen. Es ging um einen Wettbewerb für die Gründung eines Unternehmens, den die Hochschule gemeinsam mit der Consulting-Firma McKinsey lanciert hatte. Reto Frei hörte zu, dachte nach, und der Gedanke, ein Unternehmen zu gründen, gefiel ihm. Er besprach sich mit seinen Brüdern, und sie wussten ziemlich schnell: Ein Restaurant, das vegetarisches Fast Food anbietet, das wärs! Ganz uneigennützig war diese Idee natürlich nicht; für Vegetarier wie ihn und seine Brüder gab es damals in herkömmlichen Restaurants meist nur die Beilagen und über die Gasse ein Birchermüesli oder ein Tomaten-Mozzarella-Sandwich. Also meistens nur »den Trostpreis«. Man galt als eine Art kulinarischer Tiefflieger. Als Kostverächter. Als Körnlipicker und vermutlich auch ein bisschen als Gesundbeter. Und vor allem: den Sinnesfreuden grundsätzlich abgeneigt. Das traf aber auf die Freis nicht zu, war ihnen vielmehr ganz und gar fremd. Dazu aßen sie ganz einfach viel zu gern.

Die Lust auf gutes Essen

Bei ihrer Idee zu einem vegetarischen Restaurant sollte denn auch nicht der Verzicht auf Fleisch im Vordergrund stehen, sondern der Genuss. Gerade weil sie um die Vorurteile gegenüber Vegetariern wussten, mochten die Frei-Brüder nicht in die Zeigefinger-Moral-Falle tappen. Sie wollten schließlich niemanden bekehren, sondern bloß eine überzeugende Alternative bieten. Denn sie dachten: Wir können nicht die einzigen sein, die Lust haben auf gesundes, leckeres Essen. Auf etwas Schnelles über Mittag, am Abend oder einfach zwischendurch, das leicht und bekömmlich ist. Und bei dem alle Geschmacksnerven gekitzelt werden. Das einen rundum glücklich macht. Sie starteten mit »Projekt V«. Machten zunächst Straßenumfragen. Tasteten sich mit vier vermeintlich harmlosen Fragen an das Gegenüber heran, um am Schluss die entscheidende Frage zu stellen, um die es eigentlich ging: Würden Sie in einem vegetarischen Restaurant essen wollen? Ihr Gefühl hatte sie nicht getäuscht. Die Antworten waren überraschend positiv, vor allem von Frauenseite. Männer rümpften häufiger die Nase, fanden Vegetarier bisweilen »komisch«. Vorurteile halten sich eben hartnäckig.
Projekt V überzeugte dann auch die hochkarätige Jury, in der unter anderen Fritz Fahrni, damaliger CEO des Sulzer-Konzerns, und Franz Humer, CEO der Pharmafirma Roche, saßen. Von 200 Teilnehmern schafften sie es unter die elf Finalisten, wurden zweimal ausgezeichnet.

Das Foto mit dem Lauch

Und dann kam Rolf Hiltl. Der Mann, dessen Urgroßeltern die vegetarische Küche nach Zürich gebracht hatten und dessen Restaurant seit 1898 – gemäß Guinness-Buch der Rekorde das älteste vegetarische Restaurant Europas – eine Institution ist, und das nicht nur für Fleischverächter. Er las von dem Projekt der Brüder Frei in der Zeitung, sah das Bild, auf dem ihn Reto und Christian Frei neben einer riesigen Lauchstange anstrahlten, und fand: Die gefallen mir. Und ihre Idee auch. Hiltl hatte seinerseits schon vor Jahren denselben Gedanken gehabt, nämlich neben dem Haus Hiltl eine Art Dépendance für Fast Food einzurichten. Es fehlte ihm damals nur an der Zeit. Das hier, so schien es ihm, wäre eine Zusammenarbeit wert. Und diese Brüder, die wirkten dynamisch und entschlossen. Er meldete in einem E-Mail sein Interesse an.

Christian, Daniel (stehend) und Reto Frei sowie Rolf Hiltl (von links).

Die glückliche Fügung

Das traf sich gut, zumal die tatsächlich sehr dynamischen und entschlossenen Brüder auf der Suche nach einem Profi aus der Gastronomie waren. Und es traf sich erst recht gut, dass dieser Profi genau in dem Gebiet Bescheid wusste, wo sie Unterstützung benötigten: qualitativ hochstehend vegetarisch zu kochen. Man hatte rasch einen Draht zueinander, sprach dieselbe Sprache, nicht nur wegen des Konzepts des vegetarischen Angebots, sondern wegen der übergeordneten Haltung, die dahinter stand: Es ging allen vier um Genuss. So unterschiedlich sie sind – Reto, der Tüftler, Daniel, der Betriebswirt, Christian, der Kreative, und Rolf Hiltl, der Vollblut-Gastronom –, so sehr stellte sich diese Verbindung als glückliche Fügung heraus. Die Ergänzung war perfekt.
Von Anfang an herrschte Einigkeit darüber, dass das Ganze nicht steif, sondern locker daherkommen sollte. Im Zentrum sollte ein reichhaltiges Buffet stehen, von allen Seiten zugänglich, damit keine Schlangen entstehen, der Preis sollte nach Gewicht berechnet werden. Und ebenso klar war, dass das Angebot zwar Fast Food beinhalten, die Atmosphäre das aber eben gerade nicht vermitteln sollte. Es sollte keine Hektik herrschen, kein Neonlicht, sondern ein ruhiges Ambiente mit viel Stil. So dass man gerne verweilt. Darum war auch von Anfang an klar: Das Lokal sollte den ganzen Tag über geöffnet sein, nicht nur über Mittag. Dafür musste mit einem ansprechenden, charmanten Interieur eine gemütliche Atmosphäre geschaffen werden. Konkret: Man engagierte die Designers Guild. Tricia Guild, renommierte Inneneinrichterin aus England, bekannt für ihre bunten, fröhlichen Tapeten, wurde für eine Zusammenarbeit angefragt. Nach einem Treffen in London sagte sie zu – obschon sie sonst eigentlich nur Aufträge im Wohnbereich annimmt.
Die Idee wurde also mit einem Mal sehr konkret. Aus »Projekt V« wurde »tibits«, eine charmante Verkürzung des englischen Begriffs »titbits«, das für kleine Leckerbissen steht.

Immer mit einem Augenzwinkern

Vor der Startphase arbeiteten die Gebrüder Frei eng mit Rolf Hiltl zusammen, um wirklich zu verstehen, wie ein Restaurant funktioniert. Nebenbei schloss Reto sein Studium mit dem Diplom ab, Daniel war bei einer größeren Firma in der Konzernentwicklung angestellt, Christian Frei als selbständiger Lehrer und Inhaber einer Privatschule tätig.
Und als dann endlich der Tag der Eröffnung kam, standen sie selbstverständlich hinter der Theke, führten sämtliche Arbeiten aus, die in einem Restaurant anfallen. Waren sich für nichts zu schade, halfen mit einer großen Portion Enthusiasmus mit. Sie waren überwältigt. Und, wie sie im Nachhinein zugeben, auch etwas überfordert. Mit diesem großen Andrang hatten sie nicht gerechnet. Sie wurden regelrecht überrannt, »tibits« war von Anfang an ein Erfolg. Das Geheimnis dahinter? Die Leidenschaft der Macher. Die Leidenschaft für gutes, frisches, gesundes Essen, für den Spaß am Essen, für das Bewirten von Gästen, deren Wohl den »tibits«-Machern wirklich am Herzen liegt. Und sicher auch, weil man die vegetarische Kost nicht moralinsauer, sondern mit einem Augenzwinkern und viel Witz bewarb.
Es kamen übrigens nicht nur die Frauen. Sondern auch Männer. Denn: Wo lassen sich besser Frauen kennen lernen, als an einem schönen Ort, wo vielseitiges vegetarisches Gourmet-Essen angeboten wird? Eben.

»tibits« in Zürich seit Dezember 2000.

Foto: tibits

Der Zeit voraus

Mit ihrer Haltung waren die Frei-Brüder und Rolf Hiltl ihrer Zeit voraus. Der mittlerweile notorisch verwendete Begriff der Nachhaltigkeit war für sie eine Selbstverständlichkeit – auch als noch niemand davon sprach. Milch wird von einem »Demeter«-Bauern bezogen, es gibt Deutschkurse für die Mitarbeitenden, geleitet von Christian Frei. Das Verhältnis zu den Angestellten ist wichtig, und dabei bleibt es nicht bei einer Worthülse. Daniel Frei sagt denn auch, dass das Personal weit mehr Zeit beanspruche, als dass es in den betreffenden Vorlesungen an der Uni vermittelt werde. Er meint es im positiven Sinn.
All dies wird nicht an die große Glocke gehängt, es wird gelebt. So sucht man ein Leitbild auf der »tibits«-Homepage vergeblich. Die Gäste sollen nicht davon lesen, sondern es spüren. Danach gefragt, heißt es schlicht: Lebensfreude. Vertrauen. Fortschrittlichkeit. Zeit. Als in Zürich eine Debatte darüber entbrannte, ob stillende Mütter in Restaurants geduldet sein sollen oder nicht, war die Haltung bei »tibits« eindeutig: »Wir waren alle mal Kinder«, sagt Rolf Hiltl, weshalb es Kinderecken gibt und man nun auch Stillzonen einrichtete. Bei »tibits« soll es ganz einfach für alle Platz haben. Und dass das funktioniert, war spätestens dann klar, als sich unter die Studentinnen, Bankangestellten, Grafiker, Journalistinnen und Rentnerpaare auch schwere Jungs in Lederkluft, mit langen Haaren und tätowierten Armen mischten.

Mehr als ein Trend

Bücher wie »Tiere essen« von Jonathan Safran Foer oder der neue Roman »Auf den Inseln des letzten Lichts« von Rolf Lappert thematisieren den Vegetarismus. Und immer mehr setzt sich die Einsicht durch, dass vegetarisch essen nicht gleichbedeutend ist mit Verzicht. Sondern vielmehr mit einem Gewinn. Indem man nicht nur sich Gutes tut, sondern auch der Umwelt. Die Gebrüder Frei und Rolf Hiltl bekommen die momentane Entwicklung zu spüren, und sie freuen sich darüber. Weil ihnen der Trend zwar in die Hände spielt, sie aber gleichzeitig wissen: Ihr Unternehmen, aus einer Projektidee entstanden, ist etwas Langfristiges. Denn die Freude an feinem Essen mit frischen Zutaten ist unvergänglich und unterliegt keinem Trend.

Die Expansion

Obschon in den Stoßzeiten am »tibits«-Buffet bisweilen kaum ein Durchkommen ist, möchte man exklusiv bleiben. Sie wollten, sagen die Frei-Brüder und Rolf Hiltl unisono, angesichts des Erfolgs nicht übermütig werden. Darum gibt es »tibits« bis jetzt ausschließlich in Zürich, Winterthur, Basel und Bern. Und wenn man sich doch zur Expansion entscheidet, dann nimmt man sich Großes vor. Wie zum Beispiel London. Da, in einer Stadt, in der ein brutaler Gastro-Wettbewerb tobt, in der das Angebot gigantisch ist, da wollte »tibits« hin. Ausgerechnet. Drei Jahre dauerte allein die Suche nach einem geeigneten Lokal, man stand ein paar Mal kurz vor Vertragsabschluss, musste Niederlagen einstecken, kämpfen, bei Behörden vorsprechen. Und dann klappte es. An der Heddon Street, einer feinen Adresse in unmittelbarer Nähe zur Regent Street. Doch es wurde härter, als sie gedacht hatten. Man hatte die Aufgeschlossenheit der Londoner überschätzt und auch die Offenheit, was vegetarisches Essen anbelangt. Aber nach einem Jahr funktionierte es dann doch – weil der Gaumen eben unbestechlich ist. Das wissen auch jene, die außerhalb von Zürich, Winterthur, Basel und Bern wohnen. Und sich deshalb wünschen, »tibits« gäbe es bald auch bei ihnen. Die Frei-Brüder und Rolf Hiltl halten ihre Augen offen – so viel sei hier versprochen.

»tibits« London.

Foto: tibits

rezeptverzeichnis

Desserts, Süßes, Getränke

Grundrezepte

Für den überüberüber-
überübernächsten
Salatteller
brauchen Sie nicht ins
tibits zu kommen.
tibits
UNDERGROUND
tibits
Very Fresh Vegetarian Cuisine.
Vegetarian Fast Food. tibits
Vegetarian Fast Food. tibits
Veggie conquers London. tibits
Essen Sie sich fit. tibits
Vegetarian Take Away.
tibits
Very Fresh Vegetarian Food. tibits
Frisch statt Foul.
tibits
Vegetarian Paradise. tibits
Very Fresh Vegetarian Cuisine.
Primaballerinen
essen im tibits.
tibits
Auf unsere Teller schaffts kein Fleisch. tibits
10 Jahre tibits Werbung.
Ein Augenschmaus.
Artgerechte Teehaltung. tibits
tibits
Inoffizieller Sponsor der Einstein-Führung. tibits
tibits
Veggie conquers London. tibits

Foto: wirz.ch

Hiltl seit 1898

Das Haus Hiltl ist gemäß Guinness-Buch der Rekorde das erste vegetarische Restaurant in Europa. Es wurde 1898 von Ambrosius Hiltl gegründet und wird heute durch die vierte Generation der Familie Hiltl, persönlich geführt. Neben dem Kochatelier mit kleinem Laden umfasst es ein gediegenes A-la-Carte-Restaurant mit hauseigener Konditorei, eine Bar-Lounge und den »Club Hiltl« für edle Partys bis in die frühen Morgenstunden. Im Zentrum steht das große Hiltl-Buffet mit über hundert hausgemachten Spezialitäten nach Gewicht, als Selbstbedienung und auch als Take-Away erhältlich.
Externe Caterings und Events werden im Großraum Zürich angeboten. Sämtliche Speisen werden täglich frisch zubereitet durch über dreißig Köchinnen und Köche in der hauseigenen Küche mit Gäste-Einsicht. Weitere Informationen unter www.hiltl.ch.

Zusammenarbeit mit »tibits«

Gastronomisch baut »tibits« auf der über hundertjährigen Erfahrung von »Hiltl« auf. Bewährte und erfolgreiche Produkte des »Hiltl«, wie das einzigartige Buffet und die täglich frisch gepressten Säfte wurden übernommen. Beide Familienbetriebe entwickeln laufend neue Produkte, die Rezepte und Ideen werden partnerschaftlich ausgetauscht und Synergien positiv genutzt. Die tibits AG ist je zur Hälfte im Eigentum der beiden Familien Hiltl und Frei. Operativ wird »tibits« von den Gebrüdern Frei geführt, und zusammen mit Rolf Hiltl bilden sie die strategische Geschäftsleitung der tibits AG.

Hiltl-Kochbücher

Zum 100-jährigen Jubiläum wurde 1998 das Kochbuch »Hiltl. Vegetarisch nach Lust und Laune« herausgegeben. Mittlerweile ist der Klassiker überarbeitet und mit neuen Rezepten ergänzt und in 13. Auflage erhältlich. Das Buch ist in Englisch und Französisch übersetzt.
Zum 111. Geburtstag ist das Kochbuch »Hiltl. Vegetarisch. Die Welt zu Gast« mit über 60 neuen Rezepten erschienen. Auch dieses Buch ist in Englisch erhältlich. Die Hiltl-Kochbücher sind in allen »tibits«-Restaurants, im Haus Hiltl und im Buchhandel erhältlich.

Foto: hiltl